LE PETIT PEINTRE DE FLORENCE

PILAR MOLINA LLORENTE

LE PETIT PEINTRE DE FLORENCE

Traduit de l'espagnol
par Marie-José Lamorlette

Illustrations :
Louis Constantin

L'édition originale de cet ouvrage
a paru, en langue espagnole,
aux Ediciones Rialp S.A., Madrid,
sous le titre :
EL APRENDIZ

Prologue

« On pourrait croire qu'il n'y a pas quatre éléments, mais cinq : la terre, l'eau, l'air, le feu et les Florentins. » Cette phrase aussi curieuse que significative est attribuée au pape Boniface VIII, qui s'étonnait de voir que tout groupe de pèlerins, d'où qu'il vînt, comptait toujours au moins un Florentin.

Il avait raison. Au cours des XIVᵉ, XVᵉ et XVIᵉ siècles, Florence était présente dans le monde entier et brillait dans tous les domaines de l'activité humaine : ses architectes construisaient les palais les plus élégants et les murailles les plus sûres ; ses sculpteurs étonnaient par leur audace, la perfection et le fini de leurs œuvres ; ses peintres, grâce à leurs jeux d'ombres et de lumière, donnaient naissance à des légendes ; ses orfèvres semblaient tisser l'or et ses tailleurs affinaient les coupes et les tissus ; ses penseurs révolutionnaient les idées et ses banquiers manipulaient les plus grandes fortunes.

Florence était la capitale du monde grâce au génie et au labeur de ses habitants. L'effort serein de chaque jour, la rigueur avec laquelle les Florentins abordaient leur ouvrage dès le matin, tout cela portait ses fruits et ne cessait d'enrichir et d'embellir la cité. Les Florentins mettaient dans leur travail leur sens de l'honneur, leur orgueil, leur désir de se surpasser. Tous ensemble, ils avançaient à travers l'Histoire.

La coupole de Brunelleschi, le *Moïse* de Michel-Ange, *Le Printemps* de Botticelli... autant d'œuvres qui paraissent nées d'un souffle magique et qui, pourtant, ont coûté des heures d'angoisse, de profondes déceptions, des moments de dégoût, de doute et d'hésitation. Mais l'essentiel, et le plus difficile à réaliser, est qu'une fois terminées ces œuvres semblent n'avoir demandé aucun effort et être sorties sans le moindre tourment de l'imagination de leur auteur.

C'est à Florence, en cette époque que nous appelons la Renaissance et dans ce contexte de labeur, de compétence et de génie, que se situe l'expérience d'Arduino. Pour réaliser son rêve, devenir peintre, le jeune garçon est prêt à troquer la sécurité de son foyer contre l'aventure et l'inconnu, et à affronter le spectre qui lui noue la gorge depuis sa plus tendre enfance : la peur. Mais tout cela est si peu, comparé à la magie des contours, aux effets de lumière, à la force des contrastes, au mystère des ombres...

1

L'examen

Ma maison était petite et gaie. Elle avait un patio avec une fontaine de bronze en forme de tête de poisson et une galerie surélevée qui regorgeait de lumière et de fleurs. Mais ce qui me plaisait le plus, chez moi, c'était la grande fenêtre qui donnait sur la place et par laquelle je pouvais voir chaque matin le marché avec ses étals et ses éventaires.

Le temps filait sans que je m'en aperçoive, tandis que je m'efforçais de croquer les gestes et les attitudes des vendeurs et les expressions des clients. Sans cesse, je vérifiais qu'il n'y a jamais deux nez semblables et que chaque personne marche d'une façon particulière.

« Arduino ! »

La voix de mon père m'arrachait à mon univers de lignes et d'ombres et me faisait retomber brutalement dans la réalité des tâches à accomplir.

« Arduino, est-ce que tu as l'intention de passer la journée entière à la fenêtre ? Le travail attend ! »

Chaque matin, dans l'atelier de couture, une course folle commençait. Mon grand-père, mes frères et moi nous attaquions aux mille points qui allaient donner forme d'abord à des pièces séparées, puis à un vêtement entier. Tous identiques, l'un après l'autre, les points comptaient les secondes au rythme de l'aiguille heurtant le dé à coudre.

Ce matin-là, mes frères et moi étions en train d'achever une culotte quand mon père m'appela. Il se tenait à la table de coupe. Ses mains agiles évoquaient celles d'un magicien. Il pliait la soie au milieu, endroit contre endroit, et marquait ensuite d'un geste vif quatre ou cinq mesures qui le guideraient pour couper les pièces avec ses grands ciseaux noirs. Son ton était grave.

« Mon fils, dit-il, tu ne donnes pas toute ton attention à ce que tu fais. Et tes ourlets ne sont pas très réussis.

— C'est difficile, père, répondis-je pour me défendre.

— Difficile ? À ton âge, ton frère Antonio faisait déjà des broderies en relief !

— Oui, mais Antonio...

— Antonio s'applique et ne pense à rien d'autre, lui. Alors que toi, tu as toujours la tête pleine de vagues, de rêvasseries. Tu n'es plus un enfant. Tu dois apprendre tous les secrets de la couture afin de devenir un maître, un jour. Sais-tu ce que signifie le mot "maître" ?

— Oui, mais...

— Mais quoi ? »

Je me sentais pris au piège, il fallait que j'avoue la vérité. Quand je mentais, mon père le lisait toujours dans mes yeux.

« C'est que la couture, moi... la couture... »

Le visage de mon père était plus rouge que d'habitude et cela m'effrayait.

« La couture ne me plaît pas », déclarai-je d'un trait.

Il posa ses ciseaux, longea la table et vint se placer face à moi.

« La couture ne te plaît pas ? Ce métier a été

celui de tes grands-parents, de tes parents et sera celui de tes frères. Nous avons des clients illustres qui nous connaissent et nous font confiance. La ville entière nous respecte. Crois-tu pouvoir obtenir tout cela dans un autre domaine ? »

Mon père avait raison. Il était très fier de la position qu'il occupait dans la société et de la façon dont on vantait partout son bon goût, son habileté à tailler l'étoffe, son sens de l'honneur et du travail, y compris hors de Florence.

« Je veux être peintre, osai-je dire alors, et ma propre voix résonna d'une façon étrange à mes oreilles.

— Peintre ? Sais-tu à quel point il est difficile de se faire un nom dans ce métier-là ? Beaucoup de jeunes gens ont la prétention de devenir peintres, mais combien y parviennent ?

— Moi, j'y arriverai », affirmai-je avec énergie.

Il me regarda en silence. Ses yeux cherchaient à mesurer dans les miens le sérieux de ma décision.

« Bon, déclara-t-il enfin d'une voix grave. J'en parlerai à Cosimo de Forli. Il dirige un atelier important et me doit quelques faveurs. »

Je baisai plusieurs fois la main de mon père, incapable de lui témoigner ma reconnaissance par un autre moyen. L'émotion me nouait la gorge.

« Écoute-moi bien, Arduino. Ce sera définitif. Si Cosimo me dit que tu n'es pas fait pour ce métier ou s'il a la moindre plainte à exprimer au sujet de ton comportement, tu reviendras ici et tu seras tailleur comme tes frères. Est-ce compris ? »

Je fis oui de la tête ; le nœud ne me permettait toujours pas de parler.

À dater de ce moment-là, le temps me parut durer une éternité. Je savais que mon père était en pourparlers avec le maître, et tout laissait prévoir qu'ils parviendraient à un accord.

Mes frères disaient que j'étais fou. Eux se sentaient bien, dans l'atelier de couture. Antonio, l'aîné, adorait les tissus et les broderies ; il reconnaissait les étoffes les yeux fermés et éprouvait la plus vive émotion devant la chute parfaite d'une soie ou la combinaison de deux tons dans une cape. Enzo, plus âgé que moi de trois ans, voyait dans ce métier un excellent moyen de travailler à la maison sans avoir à trop bouger ses jambes, qu'une maladie infantile avait laissées faibles et torses. Ils se moquaient de mes rêves et essayaient de me convaincre que j'étais dans l'erreur.

Je m'efforçais de ne pas entendre leurs quolibets et j'écoutais leurs conseils avec respect. Mais ensuite, le soir, accoudé à la galerie, le visage levé vers le carré d'étoiles que notre patio découpait dans le ciel, je me rendais compte que je désirais vraiment peindre, connaître les secrets des formes et des couleurs, exprimer d'une manière ou d'une autre ce que je ressentais devant les gens ou les choses que je trouvais belles et intéressantes. Dans ces moments-là, la sagesse des paroles de mes frères fondait à vue d'œil devant la force de mes rêves.

Quelquefois, cependant, mes projets pâlissaient un peu sous l'effet de la peur, ma peur, celle qui avait toujours freiné mes plus grands élans.

« Cette fois, il n'en sera pas ainsi, me répétais-je inlassablement. Cette fois, je vaincrai tous les obstacles. Je me mordrai les mains ou je m'attacherai les pieds pour ne pas partir en courant. Même si la peur m'étouffe, je ne reculerai devant rien. »

Mais cette seule idée me faisait trembler.

Le chant du coq semblait avoir gelé dans son gosier. Florence s'éveillait, froide et humide.

Le matin que j'avais tant attendu était arrivé. Je n'avais pas pu dormir. L'émotion, la nervosité, les

16

doutes et surtout la peur m'avaient tenu éveillé toute la nuit. Dès que j'entendis le cri étranglé du coq, je sautai du lit et commençai à m'habiller. J'étais si nerveux que je renversai mon bol de lait et fis craquer l'un de mes bas.

Je pris congé par trois fois de mon grand-père et de mes frères, je vérifiai encore le balluchon de tissu mauve dans lequel mon père avait mis toutes mes affaires et ce fut le moment de partir.

En chemin j'évoquai le souvenir de ma mère, morte depuis si longtemps que son visage se brouillait dans ma mémoire. Je dis adieu en pensée au patio, à la fontaine, au carré d'étoiles. Puis, tandis que je revoyais mon petit cheval de bois peint qui me paraissait maintenant si lointain, je compris que je quittais surtout le petit Arduino, le fils du tailleur.

L'atelier de Cosimo de Forli se trouvait à l'autre bout de la ville, dans un vieux quartier plein de rues étroites et de porches sombres et mystérieux ; mon père et moi dûmes traverser Florence, qui grouillait de vie en dépit du froid. Il était silencieux et pensif, j'étais nerveux et impatient.

La maison du maître avait une façade vieillie et détériorée, et un heurtoir de bronze avec une tête de lion. Une femme âgée vint nous ouvrir, si grande et si grosse qu'elle emplissait de sa silhouette l'embrasure de la porte.

« Que voulez-vous ? »

Mon père se présenta et la femme s'écarta.

« Entrez et attendez un moment. Le maître va vous recevoir tout de suite. »

Je tremblais. Je regardai autour de moi, cherchant un appui. La pièce était si obscure que l'on distinguait à peine la forme d'une table et d'un banc. Les murs se perdaient dans la noirceur et quelques masses plus sombres laissaient deviner la présence d'un grand coffre ou peut-être d'une étagère.

Le rideau derrière lequel la femme avait disparu bougea et je vis mon maître pour la première fois. C'était un homme rond, coiffé d'un bonnet brun dont des mèches de cheveux gris s'échappaient sur les côtés.

Il me contempla de la tête aux pieds, s'arrêtant un instant sur mes yeux, puis s'adressa à mon père.

« Bien, bien, bien. Voici donc le garçon. »

Sa voix fêlée résonnait dans les recoins que je pressentais dans l'ombre.

« Arduino di Emilio di Antonio Neri, me présenta mon père.

— Arduino, répéta le maître. Nous allons vérifier tes dons. *Melania !* »

Son cri me fit sursauter et il se mit à rire. La
femme qui nous avait ouvert obscurcit de son
énorme jupe le peu de lumière qui filtrait sous le
rideau.

« Melania, apporte du papier et une lampe. »

Le petit homme posa ce qu'il avait demandé sur
la table et tira d'une de ses poches une pointe de
charbon de bois bien taillée.

« Trace un cercle », me dit-il.

Mes genoux flageolaient. Je savais qu'il s'agissait d'un moment décisif pour mon avenir de
peintre. Tracer un cercle est facile, je l'avais fait
des centaines de fois ; cette épreuve est souvent
demandée dans les ateliers, pour tester le poignet,
et les enfants ont aussi l'habitude de se lancer ce
genre de défi. J'étais sûr de mon coup de main,
mais beaucoup moins de mes nerfs. Mes doigts
étaient glacés et bougeaient tout seuls, échappant
à mon contrôle. J'inspirai profondément.

« Tu ne peux pas perdre cette occasion, me
disait mon esprit furieux. Tu dois démontrer ce
dont tu es capable. Ne laisse pas la peur détruire
tes rêves. »

Le papier jaunâtre semblait se moquer de moi.
Je saisis le bout de charbon, fixai mon regard à

l'endroit où je voulais voir apparaître le cercle et le traçai. Le résultat était presque parfait, mais mes jambes ne me portaient plus.

Cosimo de Forli hocha la tête, repoussa les mèches grises qui retombaient sur ses tempes et se tourna vers mon père.

« Occupons-nous du contrat », dit-il. Après quoi il ajouta, me regardant avec attention : « Toi, pendant ce temps, dessine quelque chose, ce que tu veux. »

J'avais copié tant de fois les mains de mon grand-père croisées sur son bâton que je connaissais par cœur leurs lignes relâchées et les ombres qu'avait posées sur elles le passage du travail et des années.

Je pris place sur un tabouret à moitié bancal qui se cachait sous la table comme s'il avait honte et me concentrai sur mon dessin. Mes tempes battaient, les voix de mon père et du maître arrivaient à mes oreilles à la façon d'un écho.

Cosimo rédigeait le contrat qui allait me lier à lui. Ainsi que le voulait l'usage en vigueur dans les ateliers de peinture, je devrais vivre sous son toit pendant les trois années à venir, le servir non seulement à l'atelier mais pour tout ce qu'il me demanderait, obéir à ses ordres et suivre ses indications au pied de la lettre. La première année

mon père paierait pour mon apprentissage, à partir de la deuxième année le maître verserait un salaire conforme aux aptitudes de l'apprenti. À mes aptitudes.

Je terminai le dessin avant qu'ils aient achevé leurs tractations.

« Bon, maître Emilio. Nous sommes d'accord sur les conditions. J'espère que le garçon... »

Il s'était approché de la table. Quand il vit mon travail, il s'interrompit. Il prit la feuille et l'examina avec lenteur, puis leva les yeux et me jeta un regard très froid.

« Comment as-tu dit que tu t'appelles ?

— Ar... Arduino, bégayai-je, décontenancé par son expression.

— Bien, Cosimo, déclara mon père. Si à un moment quelconque le petit ne se comporte pas comme il doit ou ne met pas tout son cœur à l'ouvrage, envoyez-moi chercher. Je viendrai le reprendre sur-le-champ. Il est ici contre mon gré. J'ai besoin de lui à l'atelier ; aussi, à la moindre plainte, il arrêtera la peinture et reviendra à l'aiguille.

— Je m'en souviendrai », répondit le maître dans un sourire et sans me quitter des yeux.

Mon père s'approcha de moi et tenta de me regarder avec dureté.

« Rappelle-toi que tu as une famille, et que tes actes rejailliront sur elle. Tout ce que tu feras ou diras arrivera jusqu'à nous. Ne l'oublie pas. »

J'acquiesçai, accablé. Mon père traça une croix sur mon front et sortit.

2

L'atelier

Quand la porte se referma derrière mon père, toute l'obscurité de la pièce s'abattit sur moi d'un coup. La peur était montée dans mon corps et paralysait mes sens.

« Allons-y », déclara Cosimo d'une voix glacée.

« Il faut que je bouge, me disais-je. Je ne peux pas rester cloué ainsi sur place comme un idiot. Il ne va rien se passer. Cet homme a beau sembler très antipathique, il ne va pas me manger. Je dois dominer cette peur, sinon je ne ferai jamais rien dans la vie. Il faut que j'en finisse avec ce tremblement. Il faut... »

« Viens, je t'ai dit ! Es-tu dur d'oreille ou de la comprenette ? »

Et il me poussa vers un corridor dont la bouche étroite s'ouvrait derrière le rideau sale.

Ce passage, interminable, allait mourir dans une pièce sur laquelle donnaient plusieurs portes. Un escalier vermoulu s'élevait dans un coin.

« Melania ! » cria Cosimo.

Des dalles de terre cuite montait une odeur d'humidité qui prenait à la gorge.

« Melania ! »

Un bruit de pas irréguliers annonça l'arrivée de la matrone.

« Melania ! hurla encore mon maître.

— Voilà, voilà... », bougonna la domestique d'une voix sourde, avant d'ajouter entre ses dents : « Ce vieux décrépit va finir par me dégoûter de mon nom.

— Où étais-tu donc, diablesse ?

— À la cuisine, où voulez-vous que je sois ? Alors, que vous faut-il ?

— Arrange-toi pour loger ce garçon. »

La femme se donna une claque sur la hanche, et un petit nuage de poussière s'échappa de sa jupe.

« Un autre gamin ? Mais il n'y a plus de place !

Je ne peux pas en mettre un quatrième dans la chambre, ils étoufferaient. »

Le maître poussa mon balluchon violet au milieu de la pièce.

« Installe-le où tu pourras et ne me crée pas plus de problèmes que je n'en ai déjà. »

Melania attrapa le paquet à contrecœur et foudroya son maître d'un regard furibond.

« Des problèmes, des problèmes... Son seul problème, c'est son humeur de chien », marmonna-t-elle en s'éloignant.

Cosimo ouvrit la plus grande des portes et un flot de lumière inonda tout.

« Entre. »

Je n'avais jamais vu d'atelier, mais celui-ci me parut immense. Il y avait des tables, des chevalets, des escabeaux... Un atelier ! Un endroit où apprendre, où vivre les mystères des lumières, des couleurs, des ombres... Néanmoins, mes jambes tremblaient toujours.

« Piero ! appela le maître. Donne un tablier à Arduino et montre-lui comment préparer les pigments. »

J'emplis mes poumons à fond. J'essayais de me tranquilliser en me disant que je tremblais de froid.

Piero était beaucoup plus grand que moi, mince

et pâle. Il me regarda sans grand intérêt et me tendit un tablier raide de crasse. Ensuite, il me conduisit jusqu'à une table noire sur laquelle étaient alignés des récipients contenant des terres de couleur, des flacons, des bols emplis de graisses et de liquides.

« Prends le mortier et le pilon et broie cette terre pour en faire une poudre très fine, dit-il d'une voix aussi fluette que son visage. Quand ce sera fait, verse-la dans cette terrine. »

Je pris le manche du pilon et commençai à écraser la terre. Quelques morceaux sautèrent hors du mortier.

« Donne des coups moins forts, mais plus assurés, expliqua Piero à voix basse. Et fais attention, cette poudre est très vénéneuse. »

Le bruit du pilon, le petit nuage vert qui montait des mottes de terre lorsqu'elles se défaisaient et le soleil qui entrait par les grandes fenêtres réussissaient enfin à calmer un peu la danse de mes genoux, quand un gros garçon au nez rouge s'approcha de la table, enfila un tablier et prit un autre mortier.

Pendant un moment, nous restâmes silencieux. Seul le bruit des pilons, au rythme inégal pour le mien, montait dans l'immense salle.

« Quel âge as-tu ? demanda soudain le gros garçon.

— Je vais avoir quatorze ans, répondis-je.

— Ah oui ? Moi, j'en ai quinze. »

Il se mit à rire en douce, comme si le fait d'avoir
un an de plus que moi était une chose très drôle.
Un peu plus tard il reprit la parole, riant toujours,
son nez plus rouge encore.

« Je suis Baldo Ferrucio. Le neveu d'Antonio
Ferrucio. »

Un instant, j'éprouvai de l'envie. Le neveu
d'Antonio Ferrucio, le célèbre peintre de
retables ! Il lui serait facile de devenir peintre, à
ce Baldo.

Cosimo m'appela à la table à dessin et me montra l'œuvre à laquelle il travaillait.

« Qu'en dis-tu ? »

C'était un croquis réalisé à la sanguine, qui
représentait cinq personnages : trois femmes et
deux enfants. La manière dont les silhouettes se
croisaient ou se superposaient, l'équilibre des
volumes, la complexité des ombres et des
lumières, tout était extraordinaire. Mais à ce
moment-là je n'y connaissais pas grand-chose. Je
sentais seulement un nœud dans ma poitrine et
une espèce de chaleur qui pénétrait dans mon cerveau à travers mon regard ; cette sensation, je

l'avais déjà éprouvée d'autres fois devant un tableau, la voûte d'une église, mon grand-père assis près de la cheminée.

« Eh bien ? insista Cosimo.

— Que... que... que m'avez-vous dit ?

— Je commence à croire que tu es un peu sourd. Je te demande ce que tu penses de ce dessin.

— Il... il est très beau, dis-je au prix d'un immense effort.

— Sais-tu ce qu'il représente ? »

Je fis non de la tête.

« Es-tu religieux ?

— Oui.

— Oui, maître, corrigea-t-il. Regarde : tu as ici sainte Anne, ici sainte Isabelle et sur la droite la Sainte Vierge, Marie. »

Il me regardait fixement. Je fus juste capable d'acquiescer d'un signe de tête.

« Et ces enfants, qui sont-ils ? demanda-t-il encore.

— L'Enfant Jésus et saint Jean.

— Très bien, très bien. Tu as peut-être dans la tête autre chose que des broderies et des petits points, en fin de compte. »

Il partit d'un grand rire, mais ce rire se changea vite en une toux grasse qui l'obligea à sortir de l'atelier.

Quand je revins à mon mortier, je vis que la terre verte était répandue sur la table ; la poudre que j'avais broyée en début de matinée était souillée par de la terre noire et émaillée de petits cailloux.

J'allais demander une explication, quand le rire contenu de Baldo me fit comprendre qu'il s'agissait d'une mauvaise farce réservée aux novices.

« Tu es... tu es... »

Baldo continuait à rire.

« De quoi ris-tu ? Tu te crois malin, mais tu n'es qu'un benêt, un nigaud, un pitre de rien du tout, un... »

Le rire de Baldo redoublait, me forçant à élever la voix.

« Hé ! que se passe-t-il, là-bas ? » lança le maître depuis le seuil de la porte où il s'étranglait à moitié.

Je réfléchis en hâte. Si je révélais le motif de ma fureur et du rire de Baldo, je m'attirerais la haine de mes camarades. Or j'avais trois ans à passer avec eux.

« Rien, répondis-je pour finir. J'ai eu un moment de distraction et j'ai mélangé les pigments. »

Le maître approcha en traînant les pieds.

« Mais qu'est-ce que c'est que ce gaspillage ? »

Sa bouche, à laquelle il manquait des dents, laissait échapper de petites gouttes de salive.

« La terre coûte cher, surtout la verte qui est rare et qu'il ne faut pas renverser. Tu dois déployer toute l'attention dont tu es capable, Arduino. Je ne veux pas que cela se reproduise. »

Il s'éloigna en ronchonnant et en maudissant les jeunes. Quand il fut à bonne distance, je me tournai vers Baldo.

« Ne t'avise pas de me resservir cette farce ! dis-je d'un ton rageur. Je ne veux pas que le maître me prenne pour un négligent ! »

Je passai le reste de cette première matinée à moudre de la peinture et à supporter les rires qui gonflaient les grosses joues et le nez rouge de Baldo.

Nous nous arrêtâmes de travailler pour manger. Le repas se réduisit à un bouillon dans lequel flottaient d'étranges bouts de viande ; Melania nous le servit avec force plaintes et grognements dans des assiettes de terre, sur la table graisseuse de la cuisine.

L'après-midi s'écoula comme la matinée. Quand la lumière commença à changer les couleurs dans l'atelier, nous abandonnâmes nos tâches pour passer à la cuisine.

« Il faut aller chercher de l'eau, annonça Piero de son air languissant.

— Qu'Arduino s'en charge. C'est toujours le dernier arrivé qui va chercher l'eau. »

Cette voix forte et autoritaire me fit sursauter ; elle appartenait au garçon qui travaillait sur un chevalet au fond de l'atelier, et dont j'appris bientôt qu'il s'appelait Giuseppe.

Il faisait froid. Le sol mouillé du patio, recouvert de gelée blanche, m'obligeait à marcher lentement. Je plongeai le seau dans le puits avec grand soin. Chez moi, on ne m'avait jamais fait faire ce travail et je n'en avais aucune expérience. Quand j'estimai le seau rempli, je commençai à tirer sur la corde. Je ne parvins presque pas à la bouger.

« C'est très lourd. Laisse-moi t'aider », dit la voix de Piero derrière mon épaule.

Nous n'étions forts ni l'un ni l'autre, mais ensemble nous parvînmes à poser le seau sur la margelle du puits. De retour à la cuisine, il fallut aider Melania à récurer les pots et à rassembler du bois. Ensuite, nous dûmes nettoyer l'écurie, étriller le vieux cheval de Cosimo et fermer portes et fenêtres.

Cela fait, Melania nous rappela à la cuisine. Elle avait préparé des bols de soupe au pain et au lait.

« Allez, on mange ! Avalez-moi vite cette soupe, et au lit ! Démons de gamins ! »

Le repas se déroula entre les lampées bruyantes de Baldo et les ronchonnements de Melania, puis nous allâmes nous coucher. La chambre où dormaient Piero, Baldo et ce prétentieux de Giuseppe était si petite qu'ils y tenaient à peine tous les trois. Aussi Melania m'avait-elle installé un matelas de paille et une couverture dans la pièce au bout du couloir, sous l'escalier pour ne pas gêner le passage.

Je me couchai. La paille sentait la poussière, et la couverture empestait la sueur et l'humidité. Je m'efforçai de ne pas penser aux draps à la délicate odeur de menthe que j'avais dans ma chambre, chez mon père. J'étais épuisé, mais mes nerfs que j'avais maîtrisés toute la journée ne me laissaient pas me reposer.

La chandelle que Melania gardait allumée dans la cuisine s'éteignit ; la maison se retrouva plongée dans l'obscurité. Seule brillait encore une dernière braise, semblable à un petit œil de lumière. Je repassais dans ma tête les mille détails de la journée ; l'émotion me faisait oublier le froid et mon estomac insatisfait.

Alors que je commençais à m'assoupir, en dépit des craquements de l'escalier et d'autres bruits inconnus, je pris conscience d'une présence humaine près de moi. Je retins mon souffle et perçus clairement les pas de quelqu'un qui ne voulait pas faire de bruit. J'ouvris les yeux le plus possible pour distinguer quelque chose dans le noir, mais cela ne servit à rien. Soudain, les pas commencèrent à monter l'escalier avec précaution, pour éviter de faire craquer les marches.

Je relevai prudemment la tête et là, se découpant sur un rayon de lune qui passait par la petite fenêtre de l'escalier, je vis la silhouette de Melania qui montait sur la pointe des pieds, un objet à la main. Au bout d'un moment, elle redescendit avec le même soin et disparut dans la cuisine.

Qu'y avait-il, là-haut ? Pourquoi Melania montait-elle avec tant de précaution et sans lumière ? Mes jambes tremblaient sous la couverture.

« Que m'importe ce que peut bien faire Melania ! pensai-je. Je suis venu ici pour être peintre et le reste ne doit pas compter pour moi. Cela ne me concerne pas. »

Mais la peur, le froid, la faim et l'inconfort de ma paillasse m'engourdissaient l'esprit. J'essayai en vain de me distraire en songeant à mes compagnons et à la meilleure façon de m'y prendre avec mon maître ; ces pensées me décourageaient et me rendaient triste. Je m'efforçai encore de penser au dessin merveilleux sur lequel travaillait Cosimo, aux lignes, aux ombres... Mais les craquements du bois me forçaient à ouvrir les oreilles et me ramenaient malgré moi à la maison, à la nuit, au froid.

3

Décisions

« Est-ce qu'il y a d'autres chambres, en haut ? »
demandai-je le lendemain matin à Baldo, tandis
que nous récurions la cuisine avec de l'eau et du
sable.

Il haussa les épaules.

« Que veux-tu que j'en sache ? Je ne suis jamais
monté. »

Mais une ombre passa dans ses yeux.

Il faisait froid. Le petit déjeuner, une espèce de
soupe épaisse et écœurante, me restait sur l'estomac. Ce que je désirais le plus, en cet instant,
c'était d'entrer dans l'atelier où la lumière qui

baignait les peintures se changeait pour moi en chaleur.

Cosimo finit d'avaler le vin chaud contenu dans son bol, rangea bien mal sa tignasse grise sous son bonnet et ouvrit la porte de l'atelier. Pendant un moment, la lumière nous aveugla.

Baldo et Piero pénétrèrent à l'intérieur, mirent leur tablier et commencèrent à manipuler récipients et mortiers. Je craignais pour ma part d'avoir encore à broyer de la terre.

« Qu'est-ce que je fais, moi ? demandai-je.

— Tu viens ici. »

La voix autoritaire de Melania me cloua sur place. Cette femme me donnait l'impression d'être un bébé.

« Eh bien, qu'attends-tu ? Saint Georges ne va pas descendre du ciel pour te débarrasser de ta besogne !

— N... non, mais je...

— Tu vas balayer partout. Qu'il ne reste rien dans les coins. »

Le balai était très lourd et le manche si rugueux que le seul fait de poser les mains dessus me fit grincer les dents. Je le traînai jusqu'au fond de l'atelier et commençai à balayer. Je fis sortir de sous les tables des araignées de toutes les espèces possibles : velues, rayées, mouchetées, dorées, filiformes... Il y en avait aussi dans les angles et d'autres qui se balançaient aux poutres.

« Ils ne doivent nettoyer l'atelier que lorsqu'un nouveau arrive », pensai-je.

« Hé, fais attention ! » cria Giuseppe de sa voix pleine de suffisance.

Sans le vouloir, j'avais accroché avec le balai un pied de son chevalet.

« Excuse-moi », dis-je. Puis je restai un moment derrière lui, à regarder comment il étendait une tache de bleu sur le fond du tableau.

« Qu'est-ce que tu veux, planté là ? Tu n'as donc rien d'autre à faire que d'embêter tes voisins ?

— Je... je regardais, c'est tout.

— Tu regardais ? Et qu'est-ce que tu regardais ? Tu sais ce que tu vois, peut-être ? »

Sa voix puissante et haut perchée, ses yeux mi-clos me firent sortir de mes gonds. Bien sûr, que je savais ce que je voyais !

« Je regardais ton travail, répondis-je d'un ton ferme. Le fond que tu es en train d'appliquer est trop cru. Le ciel n'est jamais aussi bleu, et en plus cette couleur ne va pas avec celle des personnages.

— Pour qui te prends-tu ? hurla-t-il, fou de rage. Ce n'est pas à toi de me corriger ! Comment oses-tu ? »

Cosimo s'approcha en ronchonnant.

« Encore des disputes ? Ton père ne m'a pas dit que tu avais mauvais caractère.

— Je n'ai pas mauvais caractère, protestai-je avec embarras. Mais tout le monde ici a l'air de croire... »

Le maître m'interrompit, haussant sa voix éraillée.

« La seule chose qui compte dans cette maison, c'est ce que *je* crois. Continue à balayer, si tu ne veux pas que je demande à ton père de quelle façon il faut te traiter. »

Il citait mon père à tout bout de champ pour me faire peur, je le savais. Que ce dernier ait vent d'une doléance à mon sujet, et je retournerais aux boucles et aux ourlets. Je devais tout supporter sans rien dire, même le plus pénible et le plus blessant. L'important était d'apprendre à peindre, de connaître tous les matériaux, de maîtriser la technique.

Je repris le balai et me remis au travail, les yeux brûlants. La voix de Cosimo s'éleva de nouveau et me fit sursauter ; mais cette fois il s'adressait à Giuseppe, son favori.

« Comment peux-tu penser que ce fond ira avec le reste du tableau ? disait-il. Il faut tenir compte avant tout de l'intensité de la lumière et des couleurs que nous voulons donner aux personnages. Une composition bien construite, comme celle-ci, exige une étude détaillée des tons et des nuances. Tu devrais le savoir, Giuseppe. On ne peut appliquer le fond sans réfléchir avant à ce qui va modifier son intensité et sa nuance. » Il poussa un grand soupir, comme s'il venait de proférer une vérité transcendante, puis ajouta d'un ton monotone : « Ôte la peinture qui est en trop et prépare un bleu plus harmonieux, puis applique-le. »

J'avais raison ! La satisfaction que j'en éprouvai m'aida à terminer ma tâche avec plus d'entrain que je l'avais commencée.

« Arduino, de l'eau !

— Hé, gamin, approche cette planche !

— Pousse-toi de là, tu gênes. »

J'allais d'un côté à l'autre, exécutant les ordres, apportant des objets. Puis je dus aider à la cuisine et au poulailler, puiser de l'eau, couper du bois, redresser un tisonnier tordu, secouer une couverture effrangée, faire briller le heurtoir de la porte... J'étouffais de rage, de dégoût, de déception, d'impatience.

Quand il commença à faire nuit, après le travail, nous nous assîmes tous les quatre sur la marche de la cheminée pour manger de la soupe épaisse et un morceau de lard. Melania allait et venait, grommelant et nous maudissant.

Ma peur grandissait au fur et à mesure que la lumière du soir diminuait. J'écarquillais les yeux, mes pupilles s'élargissant comme celles de l'énorme chat de Melania qui parcourait la cuisine de sa démarche majestueuse, sûr d'avoir la préférence dans le cœur de sa maîtresse.

Je regardai Baldo, en train de mastiquer avec délices son morceau de lard.

« Tu n'es vraiment jamais monté là-haut ? » demandai-je.

Il sursauta.

« Moi ? Je t'ai déjà dit que non ! Et pourquoi monterais-je, d'abord ? Qu'est-ce que tu as, à me demander sans arrêt la même chose ? Tu veux que le maître se mette en colère contre moi, c'est ça ? Je ne suis jamais monté, tu entends ? Et je ne monterai jamais, pour rien au monde. »

Pourquoi se mettait-il dans un état pareil ? Je l'avais interrogé sans la moindre mauvaise intention.

« Je ne veux pas que le maître se fâche, ajoutai-je à voix basse. Je voudrais juste savoir ce qu'il y a, là-haut.

— Pour quoi faire ? rétorqua mon camarade, méfiant.

— Ben... par simple curiosité. »

Il regarda autour de lui.

« Le maître ne veut pas qu'on monte cet escalier, chuchota-t-il. Personne. Il ne veut pas non plus que l'on pose le genre de questions que tu poses. Dès que quelqu'un ose parler du grenier, il devient fou furieux et Melania rugit comme un lion.

— Mais pourquoi ?

— On ne le sait pas, répondit Baldo en baissant encore un peu plus la voix. On dit...

— Quoi ? insistai-je.

— Eh bien... certains prétendent que le maître a caché un cadavre, là-haut.

— Le cadavre de qui ?

— On n'en sait rien. »

Un frisson glacé me parcourut l'échine et me traversa tout entier, jusqu'au bout des orteils.

Piero, qui avait assisté en silence à notre conversation, intervint sans détacher son regard du feu.

« Un garçon qui était là quand je suis arrivé prétendait que le maître cache dans le grenier une espèce de bête sauvage, venue des forêts d'Afrique. Il disait qu'il avait lui-même entendu des hurlements et des rugissements à vous faire dresser les cheveux sur la tête.

— Quelle horreur !

— Mais moi, je crois plutôt...

— Oui ? »

Piero jeta un coup d'œil à la table, où Cosimo vérifiait ses comptes dans son vieux livre gris, puis vers le coin où Giuseppe, se tenant à l'écart de nous, était en train d'accorder son luth. Quand il fut certain que personne ne pourrait l'entendre, il reprit ses explications.

« Moi, je pense qu'il y a là-haut un laboratoire

d'alchimie ou de sorcellerie. Le maître sait une foule de choses sur les pierres et les liquides, et il reçoit parfois d'étranges visites.

— Ce sont des colporteurs, déclara Baldo. Des marchands venus d'autres villes qui vendent des pigments rares et des œuvres d'art.

— Avec tant de mystères ? » insista Piero.

Baldo fit une grimace.

« Ils font des échanges interdits par la loi. Ils vendent et achètent des objets volés ou défendus. C'est pour cela qu'ils viennent ici en secret. »

Ils parlaient très calmement, tout à fait comme si ce sujet ne les touchait pas ; comme si la « chose », quelle qu'elle fût, ne se trouvait pas à l'étage supérieur, juste au-dessus de leur tête. Moi, je transpirais malgré le froid qui s'infiltrait par toutes les fentes ; mes dents et mes genoux semblaient montés sur des ressorts. J'avais l'impression que je pouvais partir en morceaux d'un instant à l'autre.

Ils continuèrent à commenter à voix basse les mystérieuses activités de Cosimo et ne changèrent de conversation que lorsque Melania s'approcha pour suspendre les marmites à leur crochet ; ils se mirent à parler de nourriture, le sujet préféré de Baldo.

Une fois que tout le monde fut couché, et alors

que seule la silhouette du chat se découpait encore sur les dernières lueurs du feu, une telle angoisse se mit à me serrer la gorge que je ne parvenais même plus à inspirer de l'air dans mes poumons. Sous la couverture, mes genoux tremblaient et mes jambes se rétractaient sous l'effet de fortes crampes. Mes dents grinçaient et une nausée permanente me retournait l'estomac. Je me sentais si mal que je craignais de m'évanouir ou de mourir de peur.

L'envie de partir en courant était la seule pensée dont mon cerveau était encore capable. Courir, courir, m'échapper. Mais pour aller où ? Dans la rue noire, glacée, pleine de mauvais sujets ? Dans la cuisine, où se livrait chaque nuit une bataille en règle entre les rats et l'énorme chat de Melania ? Dans le corridor obscur, qui débouchait derrière le rideau sur cet étrange vestibule empli de placards fermés à clé ? Dans le patio, où se dressait le vieil orme couvert de nids de chauves-souris ? Ou encore là-haut, au grenier, où je risquais de rencontrer un dragon aux yeux de feu gardant un laboratoire croulant sous les cadavres ?

« Je vais devenir fou, pensai-je. Il faut que j'échappe à tout ça. »

Mais s'échapper signifierait revenir à l'aiguille,

à la pose de boucles, à la soie à effranger, aux nœuds à draper. Et la peinture ? Où était mon désir de devenir peintre ? Et mon émotion devant les lumières et les ombres, devant les couleurs qui se fondaient et les lignes qui se croisaient ? Qu'allais-je faire de cette émotion et des rêves qui avaient grandi en moi comme les branches d'un arbre quand je contemplais les nuits d'été, accoudé à la galerie de ma maison ?

Je ne saurais dire combien de temps dura la lutte entre ma peur et ma vocation. Je me souviens seulement avec netteté de la douleur qui m'ébranlait la tête comme si une pierre de moulin roulait à l'intérieur, et du moment où ma terreur se changea en larmes. Je pleurai toute la nuit, jusqu'au moment où des rais d'une lumière blanche et glacée commencèrent à se dessiner à la fenêtre de la cuisine.

Recroquevillé sous ma couverture, grelottant de froid, le visage tuméfié par les larmes, je me dis que je devais prendre une décision. Une décision ferme, définitive, à laquelle j'adapterais dorénavant tous mes actes et toutes mes pensées. Deux voies seulement s'offraient à moi : ou bien quitter cette maison terrifiante pleine de choses monstrueuses et devenir un tailleur célèbre, m'ennuyant à mourir dans la sécurité du foyer, rongé d'amertume et de regrets à force de remâcher mon échec, ou bien dominer ma peur, surmonter toutes les difficultés et parvenir enfin à connaître les secrets de cet art mystérieux qui me permettrait d'exprimer toute la beauté que mon imagination inventait sans cesse et qui débordait de mon esprit.

Peut-être à cause du jour qui pointait, peut-être parce que j'étais fatigué de moi-même, le fait est que je décidai de me battre contre ma peur, de tordre le cou à toutes mes angoisses et d'aller de l'avant.

« La première chose à faire est de vérifier ce qu'il y a là-haut, pensai-je. Tant que je ne le saurai pas, je ne serai pas tranquille. »

Dès que j'eus pris cette décision, mes muscles se dénouèrent et je me sentis envahi par un sommeil très doux, très agréable, dont me tirèrent les cris désaccordés de Melania.

4

Le grenier

Les jours suivants s'écoulèrent avec la lenteur d'un cauchemar. Pendant la journée, la lumière et le travail parvenaient à m'occuper l'esprit. Mais le soir venu, quand les ombres commençaient à noyer l'atelier et à uniformiser les couleurs, quand Melania se mettait à nous asticoter pour que nous allions nous coucher, se lamentant sur le gaspillage du suif et des mèches de chandelles, l'angoisse s'étendait peu à peu dans ma tête à la façon d'une tache d'huile et un étrange malaise s'emparait de tout mon être, ne me laissant aucune quiétude.

Lorsque je m'allongeais sur ma paillasse,

empoigné par la peur et forcé de me recroque-
viller parce que la couverture était trop courte
pour me couvrir tout entier, j'évoquais les menus
détails de la journée dans l'espoir de calmer mon
esprit.

Je revoyais la bataille que Giuseppe continuait
à livrer avec le fond azur du tableau dessiné par
le maître ; comme par magie, il suffisait d'ajouter
une goutte jaune pour que le ciel devînt verdâtre
et aigre, alors qu'une pointe de rouge rendait le
paysage tourmenté, orageux, au point que l'on
sentait presque l'odeur de la terre mouillée. Le
maître se fâchait et Giuseppe, l'élève préféré, se
mordait les lèvres de désespoir.

Mais, tout à coup, un craquement ou un frotte-
ment m'emplissait les veines de fourmillements et
le mystère du grenier occupait de nouveau toute
mon âme.

« Si c'était un cadavre, me disais-je, plein
d'effroi, Melania ne prendrait pas autant de pré-
cautions. D'ailleurs, elle n'aurait même pas besoin
de monter. En outre, les morts ne font pas de bruit
et ne font pas grincer les planchers. Un laboratoire
d'alchimie ne fait pas de bruit non plus, surtout
s'il ne sert pas, et Cosimo ne monte jamais. À
moins que Melania elle-même... Mais non. La
matrone ne passe jamais plus de cinq minutes

là-haut. » Il ne restait donc qu'une seule explication possible, la bête ou le monstre dont parlaient mes camarades. Mais pourquoi le maître aurait-il gardé dans son grenier quelque chose de ce genre ?

Et mon imagination se mettait en branle, inventant des dragons multicolores avec des dents pointues, des écailles, des langues fourchues et des yeux de feu.

Une nuit de pleine lune, alors que tout le monde dormait et que Melania était redescendue de sa visite précautionneuse au grenier, je décidai que les circonstances étaient propices à mon enquête.

Tout était silencieux. Les gémissements des poutres et les petites explosions de la dernière bûche en train de s'éteindre dans la cheminée de la cuisine m'étaient familiers, à présent. Le chat, épuisé par ses courses et satisfait de sa chasse, somnolait près du feu. Du couloir des chambres arrivait le ronflement répugnant de Cosimo. C'était le moment.

Je me levai prudemment et vérifiai que rien ni personne n'avait bougé. Je tremblais de peur et de froid ; je m'enveloppai dans ma couverture, quittai le recoin qui me servait de chambre et me retrouvai face au mystérieux escalier qui depuis le premier jour me donnait la chair de poule.

La lune filtrait par les volets mal ajustés et se réfléchissait sur les murs, dessinant des gouttes de lumière au plafond et des raies sur les marches. Je regardai en haut. L'escalier menait à une porte large et noire qui tenait presque tout le palier. Je ne vis rien d'autre que cette porte.

J'entrepris de monter d'un pas lent. Mes tempes battaient comme si mon cœur était venu se loger dans ma tête. Les nuits précédentes, au cours des heures que j'avais passées, éveillé, à guetter les allées et venues de Melania, j'avais enregistré dans ma mémoire le nombre des marches et les craquements qu'elles produisaient. Je savais quels étaient les endroits les plus silencieux. À deux reprises, je faillis tomber à genoux ; mes jambes ne me portaient plus. Je transpirais et grelottais en même temps.

« Je dois le faire », me répétais-je sans cesse.

Quand j'arrivai sur le palier, je n'avais plus de souffle. Je m'appuyai au mur et tentai de me calmer. À force de scruter l'obscurité, mes yeux me faisaient mal et j'avais l'impression que mes oreilles avaient grandi.

Devant moi, il n'y avait qu'une porte. Une porte large et noire cloutée de grosses pointes rouillées.

54

Je poussai le bois vieilli, il résista. Elle était fermée. J'abaissai très lentement le loquet, la porte ne bougea pas. Je regardai par le trou de la serrure ; je ne pus rien voir, car une plaque de fer obturait l'autre côté.

Rien.

J'étais sur le point d'abandonner mon aventure, quand soudain un frôlement se produisit derrière le panneau et me fit sursauter. On avait bougé. Je dus m'agripper à la corde qui, fixée au mur, servait de rampe. De toutes mes forces, je souhaitais redescendre les escaliers quatre à quatre et crier, crier jusqu'à réveiller tout le monde. Mais je ne le fis pas.

Quelques minutes passèrent. Quand je me sentis plus calme, je me remis à examiner avec attention le mur du palier.

La lune se glissait par tous les interstices de la porte qui donnait sur le patio et sa lumière dessinait mille formes différentes sur les parois. Tout à coup, je vis bouger quelque chose dans la pénombre ; je retins mon souffle. Il me semblait que le tapage de mon cœur retentissait dans la ville entière. À la droite de la porte, tout près du sol, la « chose » qui s'était déplacée était... était un morceau... un morceau de quoi, au juste ? Je m'approchai un peu et regardai avec un tel effort de concentration que mes yeux s'emplirent de larmes. On aurait dit... Oui, c'était bien ça : un bout de tissu épais, avec... avec des motifs fleuris. J'en étais sûr, à présent : c'était un morceau d'un vieux tapis mité, cloué au mur. Mais pourquoi bougeait-il ?

J'essuyai mon front couvert de sueur, j'avalai le nœud qui me serrait la gorge et je m'approchai encore, tremblant de la tête aux pieds ; lentement, je soulevai le bout de tapis. À une trentaine de centimètres du sol, je découvris alors une cavité grillagée qui communiquait avec une pièce argentée par la lune. L'air qui passait à travers la grille et agitait le tapis était chargé d'une odeur humide et acide.

Je m'assis par terre, m'efforçai de contrôler mes genoux et regardai à l'intérieur du grenier. Il consistait en une grande salle vide. Dans le toit mansardé s'ouvrait une lucarne par laquelle entraient la lumière et le froid de la rue.

Sur les murs, je ne vis ni étagères ni armoires d'alchimiste. Il n'y avait ni livres ni pierres ; pas même une table ou un banc. Et il n'y avait pas non plus de cadavres, ni de fantômes, ni de dragons, mais seulement... dans un coin... un broc, une assiette, quelques chiffons. Puis j'aperçus un anneau de fer scellé dans le mur, un anneau énorme et noir d'où pendait une chaîne. Et cette chaîne allait... jusqu'à une masse sombre, une masse qui gisait sur le sol et qui respirait.

En pensée, j'invoquai la Sainte Vierge. « Sainte Marie ! »

Je voulus bouger, mais mes jambes semblaient collées au sol. J'inspirai pour rassembler mon courage. Alors j'entendis une voix sourde, qui s'exprimait avec un accent bizarre.

« Qui est là ?

— Ar... Arduino », répondis-je, atterré.

La forme esquissa un mouvement. La couverture qui la recouvrait s'écarta et la lune éclaira une tête à la chevelure abondante.

« Bo... bonne nuit, balbutiai-je en hâte avant de rabattre le tapis.

— Attends ! »

Il m'était impossible de me mouvoir.

« Arduino, je t'en prie, insista la voix à l'étrange accent. Je t'en prie, ne t'en va pas. »

Je relevai le tapis et mon pauvre cœur malmené culbuta dans ma poitrine. L'homme se trouvait près du trou, maintenant. La chaîne, étirée au maximum, se terminait par deux fers attachés à ses chevilles.

« Merci, dit-il quand il me vit reparaître.

— Vous... vous... je... »

Tant de questions me venaient à l'esprit que j'étais incapable d'en formuler une seule.

« Es-tu un apprenti de Cosimo ? demanda-t-il.

— Oui. »

Entre sa tignasse et sa barbe, ses yeux étaient doux et sereins.

« Moi, je suis Donato.

— Do... Donato ?

— Oui. Moi aussi, j'ai été l'élève de Cosimo.

— Et pourquoi es-tu ici ?

— Pour une bêtise, répondit-il dans un sourire. Mais dis-moi ? comment vont les choses, en bas ? Je ne vois que Melania. »

Je haussai les épaules.

« Je ne suis ici que depuis deux mois, répondis-je. Je ne sais pas si les choses vont bien ou mal.

— Y a-t-il beaucoup de travail ?

— Non. Ils achèvent un tableau, et après il y a juste un projet de dessin.

— Rien d'autre ? demanda-t-il avec étonnement.

— Pas que je sache... »

Il écarta les cheveux qui lui voilaient le visage ; il était encore très jeune.

« Est-ce qu'il y a un spécialiste, dans l'atelier ?

— Un spécialiste ? Qu'est-ce que c'est ? »

Il me regarda dans les yeux et sourit.

« Un spécialiste est un expert dans un domaine particulier. Il s'occupe seulement d'une des parties qui composent une peinture ; il y a des spécialistes des fonds, des mains, des plis...

— Je n'en ai vu aucun, répondis-je. Les fonds, c'est Giuseppe qui les fait et le maître peint le reste. Mais il ne travaille pas beaucoup.

— Giuseppe est encore là ! s'exclama Donato à voix basse.

— Pourquoi es-tu enfermé et enchaîné ? demandai-je.

— Le maître voyait d'un mauvais œil que je sois meilleur peintre que lui. Je n'ai pas été assez malin pour le lui cacher.

— C'est tout ?

— Et je dois m'estimer heureux de mon sort. D'autres apprentis moins chanceux... ont disparu complètement. »

J'avais l'impression de rêver. La jalousie d'un maître pouvait donc aller jusque-là ?

« Depuis combien de temps es-tu ici ? »

Donato regarda des traits gravés sur le mur du fond, le mur où était scellé l'anneau.

« Quatre ans, dit-il.

— Si longtemps ? Comment as-tu pu tenir ?

— Que pouvais-je faire d'autre ? Au début, j'étais désespéré. Je refusais la nourriture que me montait Melania, mais je mourais de faim et personne ne s'en préoccupait. Je criais, mais cela ne m'a rapporté qu'une chose : ils ont bouché toutes les fentes, au point que je manquais d'air. Le plus intelligent était de supporter.

— Et les autres garçons ?

— Mes compagnons ? Personne n'écoute, n'entend ni ne voit quoi que ce soit si le maître l'a défendu. Tu as beau n'être ici que depuis deux mois, tu dois déjà le savoir. »

J'acquiesçai. Soit pour ne pas s'aliéner les faveurs du maître, soit par crainte de ses colères, aucun apprenti n'osait contrarier Cosimo.

« Moi, je n'aurais pas pu résister, dis-je. Je serais devenu fou.

— Pendant un certain temps, j'ai bien cru aussi que j'allais perdre l'esprit ; mais je me suis rendu compte peu à peu qu'il était inutile de se lamenter et de sombrer dans la démence. Il vaut bien mieux s'adapter aux situations, même les pires. Je souffre beaucoup du froid, de la faim, de la solitude ; oui, le plus dur c'est la solitude. Mais je dispose aussi de beaucoup de temps pour réfléchir, et grâce à cette lucarne je me tiens au courant de ce qui se passe à Florence. En outre elle me donne du soleil, et je peux voir la lune et les oiseaux...

— Mais elle est dans le toit ! Tu ne peux pas apercevoir la rue, de là. »

Il sourit.

« Bien sûr que non. La chaîne ne me permet même pas de me hisser jusqu'au bord. Mais les voix des passants qui discutent dans la ruelle de derrière me parviennent ; ainsi, je sais comment va la politique, je suis informé de ce qui réjouit ou ennuie nos concitoyens. Je devine que Noël approche au vacarme du marché et à l'odeur des rôtis, et le Carnaval est annoncé par les chansons et les cris des enfants ; les cloches de San Lorenzo m'apprennent que nous sommes dimanche, qu'il y a un mariage, un enterrement ou un incendie. »

Il marqua une pause, s'essuya le visage du revers de la main.

« Je me suis même habitué à cohabiter avec les rats et les araignées, reprit-il de son intonation calme et mesurée.

— Quelle horreur ! Moi, je serais mort de peur », affirmai-je.

Donato me contempla avec intérêt.

« De peur ? releva-t-il.

— J'ai toujours peur de tout, avouai-je. Je suis un vrai poltron. »

Donato changea de position. Il soupira.

« Tu es le seul garçon qui ait osé monter

jusqu'ici en quatre ans, déclara-t-il d'une voix grave. Je ne peux pas croire que tu sois peureux, même si tu le dis toi-même.

— Je tremble encore comme une feuille !

— Cela ne veut rien dire. »

La lune, étrangère à notre conversation, poursuivait sa route dans le ciel ; la lucarne ne laissait plus passer qu'un filet d'argent.

« Il va faire noir, dis-je. Je dois redescendre me coucher.

— Attends encore un peu, Arduino. Il y a si longtemps que je n'ai parlé à quelqu'un... »

Je lui demandai comment il avait réussi à conserver l'usage de la parole.

« Grâce à Dante. Quand j'étais étudiant, j'avais appris par cœur les vers de la *Divine Comédie*. Au cours de ces années, je me les suis récités des milliers de fois, savourant leur musique, pesant le sens des mots, méditant sur les idées. Tu sais... Dante dit tant de choses avec un seul mot. »

C'était de là que venait son curieux accent, du rythme doux et chantant de la *Comédie*. Inutile de lui demander s'il était Florentin.

Soudain, la toux rauque de Cosimo me parvint du fond du couloir. Je sursautai.

« Je m'en vais, dis-je en hâte. Si l'on me trouve ici, je suis perdu.

— Tu reviendras me voir ? »

J'hésitai. J'étais incapable de penser à autre chose qu'à la toux du maître, maintenant.

« Euh... »

Ses yeux me décidèrent.

« Oui, je reviendrai quand je pourrai. »

J'abaissai le morceau de tapis et cherchai à tâtons la corde fixée au mur.

« Merci », entendis-je de l'autre côté, très bas.

Je descendis en faisant très attention. Je ne pus respirer en paix que lorsque je sentis sur mon visage le bord rugueux de la couverture étalée sur ma paillasse.

5

Donato

« Maudits gamins ! Que le diable vous emporte !
Allez, debout, cornichons, le travail ne se fait pas
tout seul ! »

Les cris de Melania me trouvèrent éveillé.
Allongé sur ma paillasse, sous l'escalier, je n'avais
pu fermer l'œil du reste de la nuit.

La lumière du soleil réveilla mes facultés ;
durant toute la matinée, des doutes martelèrent
mon esprit.

Quel était mon devoir ? J'avais découvert un
délit. Personne n'a le droit de garder un homme
prisonnier dans un grenier. Moralement, je devais

dénoncer Cosimo. Mais si je le dénonçais... je pouvais renoncer pour toujours à mon apprentissage et à mon avenir de peintre. Je serais considéré comme un traître et un élève désobéissant. Aucun autre maître ne m'accepterait dans son atelier et mon père me remettrait sans discussion aux manches brodées et aux plis des capes. Que devais-je faire ?

« Qu'est-ce que tu as ? me demanda Baldo quand nous nous assîmes pour manger sur la marche de la cheminée.

— Rien.

— Rien ? insista-t-il, pointant son nez rouge entre mes deux yeux.

— Rien. »

Il m'observa un bon moment encore.

« Tu en as assez de nettoyer », déclara-t-il.

Je hochai la tête. Oui, j'en avais assez de nettoyer ; en outre, si je le contentais avec cette raison-là, il me laisserait tranquille.

« Je suis fatigué et je m'ennuie, confirmai-je. Le maître ne me laisse toucher les pinceaux que pour les laver. Depuis le jour de mon arrivée, il ne m'a plus jamais demandé de dessiner, pas même de tracer une ligne. Qu'est-ce que je fais ici ? Suis-je venu comme domestique ? ajoutai-je dans un murmure.

— Tu n'as pas d'autre solution, reprit Baldo. Moi, il y a un an que je suis ici et le maître me permet seulement de le regarder travailler. »

Il resta immobile, les yeux fixés sur le feu. Puis il secoua la tête comme pour chasser des pensées importunes.

« En vérité, dit-il encore d'un ton plus léger, cela n'a pas beaucoup d'importance, en ce qui me concerne. La peinture... m'embête plutôt. »

Je le regardai, stupéfait.

« Tu n'aimes pas peindre ? Que fais-tu ici, alors ? »

Il se balança sur son gros derrière.

« On m'oblige à apprendre. Comme je suis le neveu du peintre de retables le plus célèbre de toute l'Italie, ma famille estime que je dois suivre ses traces − et surtout poursuivre son commerce. Je n'avais que deux possibilités : ou être l'élève de Cosimo, ou être celui de mon oncle. »

Il se tut un moment. Quand il se remit à parler, sa voix était grave.

« Mon oncle est un tyran et un avare. Il ne me laisse pas manger et je ne dois faire que ce qu'il a ordonné. Il possède un fouet qu'il manie encore mieux que ses pinceaux. Cosimo ne m'apprend rien et se sert de moi, mais il ne me bat pas et ne m'insulte pas. En outre, si la nourriture est loin d'être bonne, elle est abondante. Pourtant, si je pouvais... Ce que je voudrais vraiment, moi, c'est apprendre l'art culinaire et devenir le cuisinier d'un riche au garde-manger bien rempli. »

Cuisinier ? Quelle horreur ! Passer toute sa vie entre des marmites et des fourneaux ! Décidément, la vie était bien curieuse : les fils des tailleurs voulaient être peintres, et les fils des peintres cuisiniers. Que souhaitaient faire les fils des cuisiniers, eux ?

Je passai l'après-midi à lisser des planches à peindre et à les préparer. Il fallait les enduire d'un mélange de plâtre de Paris, de colle et d'eau que Piero avait confectionné et surveillé toute la matinée, et qui imprégnait toute la maison d'une odeur purifiante.

« Étends-le bien, me dit le maître d'un ton rogue. Il doit être parfaitement lisse ; les traces de la brosse ne doivent pas se voir. »

Après quoi il retourna se blottir sur sa chaise, devant le feu, maintenant de ses bras croisés un pan de lainage brûlant appliqué sur son estomac.

De temps à autre il criait pour appeler Melania, et la grosse servante, au milieu d'un chapelet de plaintes et de gestes furieux, venait troquer le chiffon refroidi contre un nouveau réchauffé par les flammes.

Je ne pouvais m'empêcher de penser à Donato. Cosimo ne m'avait jamais paru sympathique, mais depuis que j'avais découvert son élève captif, sa présence me devenait insupportable. Parfois, j'éprouvais une envie folle de le frapper avec le manche du pilon ; mais dès qu'il se tournait et me regardait, tout l'intérieur de ma tête se glaçait et une sueur froide me coulait dans le dos.

« Que m'importe cette histoire, après tout, me disais-je en étalant le mélange. Je ne connais pas l'homme du grenier, il n'est ni mon parent ni mon ami. Je ne dois pas mettre ma vocation en danger. La première chose qui compte, c'est la peinture. »

Mais les yeux de Donato, gravés dans mon esprit, réveillaient sans cesse mon sens du devoir et assaillaient ma conscience d'une litanie continuelle : « C'est un délit. On n'a pas le droit de séquestrer quelqu'un. Aucun homme n'est le maître d'un autre homme. C'est un délit. »

Quand la lumière plombée du crépuscule changea les recoins de l'atelier en lignes sans fond, Melania passa la tête dans l'entrebâillement de la porte et cria :

« Ça suffit pour aujourd'hui, gamins ! Le dîner est prêt, mais auparavant il faut que quelqu'un aille chercher de l'eau, prenne du bois dans le patio et ferme bien les volets. Il va geler, cette nuit. »

Il gelait déjà. La corde du puits était raide comme un bâton et le bois si froid qu'il m'échappait des mains. Quand j'eus fini de fermer les volets tordus, je vins m'asseoir au bord de la cheminée avec mes compagnons.

« Merci, dis-je à Piero qui avait pris soin de placer mon bol près des flammes pour que la soupe reste chaude.

— ... mais quand elle ouvrit la porte, ma pauvre tante se trouva nez à nez avec un homme horrible qui avait un visage de crapaud et des cornes de démon. Il la poussa dans la salle et là, avec une corde faite de serpents séchés et tressés... »

Les épouvantables histoires de Melania nous faisaient oublier un moment les courants d'air qui circulaient entre nos chevilles, le goût de rance de la soupe, l'odeur écœurante que dégageait le suif des chandelles.

Cette nuit-là, une fois que la grosse bonne fut redescendue du grenier de son pas discret et eut disparu dans les ombres de la cuisine, je quittai mon recoin et tendis l'oreille pour guetter les bruits de la maison : je n'entendis que le souffle régulier de Baldo, le craquement des derniers

tisons, le heurt d'une branche de l'orme contre les hautes vitres de l'atelier, le soupir d'une poutre, la toux profonde et épuisée de mon maître. Tout allait bien. Tout était tranquille, comme chaque nuit.

Je montai l'escalier du grenier, m'assis près du trou, soulevai le morceau de tapis et regardai à l'intérieur. La lune inondait la pièce. Donato, assis par terre et enveloppé dans sa couverture, mangeait.

« Donato... », murmurai-je.

Il leva la tête et tourna les yeux vers moi. Son regard me parut plus serein que la veille. Mais peut-être était-ce moi qui étais plus serein.

« Arduino, merci d'être revenu.

— Qu'est ce que tu manges ?

— Eh bien... »

Il contempla l'écuelle qu'il tenait entre ses mains.

« Il me semble qu'il s'agit d'une soupe ou d'une purée, je ne sais pas très bien.

— C'est sûrement de la soupe comme celle que nous avons mangée ce soir. Avec du pain et une sorte de chose grasse qui a un goût rance et qui se coince dans le gosier.

— Du lard, je suppose, dit Donato avec son

accent plein de douceur. Moi, je trouve ça très bon. »

Comme tout était relatif ! Donato trouvait bons des aliments qui me donnaient la nausée. Je me mis à penser à voix haute.

« J'aimerais bien t'apporter une nourriture meilleure que ces soupes, dis-je, mais je me demande où je pourrais la trouver. Melania tient tout sous clé. Et elle garde les clés attachées à son cou.

— Ne t'inquiète pas, cela n'a pas d'importance. Je suis habitué.

— J'aimerais aussi... »

Je m'interrompis. En réalité, ce que je désirais de tout mon être du fond de ma rage, c'était hurler, appeler les gardes, appeler quelqu'un qui mettrait fin à cette injustice.

« Qu'aimerais-tu ? » demanda-t-il, me regardant avec sympathie.

Tous les plans que j'avais échafaudés durant la journée s'amoncelaient dans ma tête.

« Et ta famille ? lançai-je avec espoir. Tu ne leur manques pas ? Ils ne cherchent pas à avoir de tes nouvelles ?

— Je n'ai pas de famille. Seulement une sœur, et elle est mariée en France avec un soldat. Je ne pense pas qu'elle se souvienne beaucoup de moi. »

Il se tut, perdu dans l'évocation du temps passé.

« Et la chaîne ? On ne pourrait pas la détacher ?

— Les maillons sont soudés, expliqua Donato. J'ai essayé, au début. En outre, même si j'arrivais à me libérer, je ne pourrais sortir que par la porte. Et elle est fermée à clé. La lucarne est trop petite, et ce trou est fermé par une grille.

— Et Melania ?

— Quelquefois elle me montre de la haine, d'autres fois de la sympathie. Elle a bien trop peur du maître pour oser agir contre lui. Sans Cosimo, la pauvre femme n'aurait rien ; pas même un endroit où dormir. »

J'avais un goût amer dans la gorge. Je me sentais un être répugnant ; d'un tel égoïsme et d'une telle poltronnerie que j'étais capable de laisser souffrir un homme sans rien faire, dans le seul but de ne pas risquer ma vocation et ma carrière de peintre. Une carrière qui n'avait encore rien d'assuré et que je n'en finissais pas de commencer.

« Je pourrais prévenir quelqu'un, dénoncer Cosimo, faire avertir mon père, mais... »

Donato me regardait, silencieux. Ses yeux pénétraient dans mon esprit sans rencontrer la moindre résistance.

« Mais je... je... »

Soudain, tous les reproches que je n'avais cessé de me faire au cours de la journée se transformèrent en larmes.

« Voyons, Arduino, que t'arrive-t-il ? Est-ce pour moi, que tu pleures ?

— Non, non ! Je pleure parce que je suis un lâche ; le plus grand lâche de la terre.

— Arduino...

— Si, et un cochon d'égoïste, en plus, lâchai-je d'un trait. Je pourrais te faire libérer dès demain matin, mais le maître me chasserait de l'atelier et aucun autre peintre ne voudrait me prendre comme apprenti, et mon père me ramènerait à la maison et ferait de moi le tailleur le plus aigri de toute l'histoire. »

Donato tendit sa chaîne pour s'approcher davantage encore du trou.

« Arduino, calme-toi et écoute. Je ne veux pas que tu essaies de me libérer. Rien n'a autant de valeur que ton désir de peindre. Rien ne peut se comparer à l'émotion que procure l'harmonie, ni au vertige d'un équilibre parfait. »

Je le regardai, surpris. Je ne comprenais pas ce qu'il venait de dire, mais cela me semblait très beau et très intéressant.

« Je ne sais pas peindre, je sais seulement broyer

des pigments et préparer des tableaux. Je n'ai rien à perdre, à part mes rêves. Tandis que toi...

— Tes rêves sont ce qu'il y a de plus important, coupa-t-il d'une voix ferme.

— Non, le plus important est la liberté. »

Donato sourit. Il s'enveloppa dans sa couverture.

« La liberté, reprit-il avec son accent de poète, elle n'est ni dans la rue, ni dans l'atelier de Cosimo, ni dans les airs, ni dans la mer. La liberté est en nous-même.

— Mais...

— Toi, tu n'es pas libre. Tu ne peux pas faire ce que tu veux. Tu dois obéir au maître et à ton père. Ils décident de l'emploi de ton temps et freinent tes désirs. Et pas seulement eux, mais aussi Melania et tes compagnons, qui rognent tes droits et te volent ce que tu as de plus précieux. Je ne peux pas bouger, c'est vrai, mais j'ai tout le temps que je désire pour réfléchir. Mon esprit n'est pas prisonnier, lui. Tu vois ? En un sens, je suis plus libre que toi. »

Il avait raison. Je me sentais pris au piège, dominé par tous, ligoté par mon espoir d'apprendre quelque chose, par mon désir d'être libre de peindre.

« Ne sois pas malheureux pour moi, dit-il. Je

suis heureux à ma façon. Regarde : je peux même dessiner. »

Il me désigna le sol dans le coin où était attachée la chaîne. De l'endroit où je me trouvais, j'apercevais seulement quelques traits dessinés au doigt dans la poussière.

« Je peux dessiner, étudier la perspective, les symétries et les compositions.

— Je t'envie, déclarai-je malgré le nœud douloureux qui me serrait encore la gorge. Tu sais une foule de choses dont je n'ai même pas entendu parler.

— Aimerais-tu les apprendre ?

— Oui, mais comment ?

— Monte quand tu voudras. Je te les enseignerai. »

Je le dévisageai. En dépit de sa barbe hirsute et de sa tunique de velours sale et râpée, il restait très élégant et j'avais l'impression de voir dans ses yeux la même expression rassurante que celle de mon frère Antonio.

« Merci. Oui, je monterai chaque fois que je le pourrai. »

Là-dessus, profitant d'un rayon d'argent que la lune avait oublié sous la porte du patio, je descendis l'escalier et m'allongeai tout tremblant sur ma paillasse.

6

La commande

Les mois qui suivirent, je m'en souviens comme des plus intenses de ma vie. Le jour, je nettoyais et je rangeais la maison, l'atelier, je m'occupais des animaux ; la nuit, quand j'étais sûr que tout le monde dormait, je montais au grenier où Donato, à voix basse, m'enseignait les règles et les secrets du dessin et de la peinture. Il me transmettait tout ce qu'il avait appris de Cosimo, tout ce qu'il avait découvert dans les lumières, les ombres, les reflets, les lignes et les angles de sa prison.

Les nuits où la lune, curieuse, mettait le nez à la lucarne, nous dessinions sur une feuille que j'avais prise à l'atelier et que nous nous passions à travers la grille, attachée à une ficelle. Mais quand la seule lumière dont je disposais était le reflet mourant de la cheminée, Donato me parlait de couleurs, de styles, de techniques.

Je montais en tremblant, enroulé dans ma couverture sale, guettant le moindre frôlement, atterré à l'idée de rencontrer un rat, d'écraser un cafard, de m'écrouler et de réveiller Melania... Mais dès que j'avais passé un moment à écouter la voix sereine de mon nouveau maître, toutes mes terreurs restaient en arrière et m'attendaient dans l'escalier, où je les retrouvais plus tard quand je descendais rejoindre mon lit.

Le matin, je traînais avec le balai le poids de mon sommeil et de ma paresse.

« Hé, gamin ! remarquait Melania avec des éclats de rire. Tu l'aimes donc tant, ce balai, que tu dors debout en le serrant dans tes bras ? »

Piero et Baldo riaient aussi, Giuseppe me toisait de haut en bas, la lèvre relevée et les yeux mi-clos.

« Que se passe-t-il, là-bas ? »

La voix rauque et grasse de Cosimo nous parvenait du fin fond de sa chambre.

« Il ne se passe rien ! » criait Melania. Puis elle ajoutait entre ses dents : « Si tu veux savoir ce qui se passe, gros baveux puant, tu n'as qu'à te lever. On ne peut être à la fois au tison et au balcon. Ah, maudite vie ! »

Chaque jour, j'étais plus fatigué. Le manque de sommeil engourdissait mes sens jusque bien avant dans la matinée, quand le maître apparaissait dans l'atelier en traînant les pieds. Pourtant, malgré mes craintes et mes doutes, je me sentais heureux. J'avais reçu pour Noël un message de mon père ; tous allaient bien et pensaient à moi. Il m'envoyait aussi un paquet de linge et un petit sac de châtaignes avec lequel nous célébrâmes au grenier une Nativité riche de souvenirs, avec pour fond sonore les cloches de la cathédrale.

Un matin juste avant midi, alors que je préparais avec Baldo un agglutinant à base de jaune d'œuf et de vinaigre qui réclamait beaucoup de soin, le heurtoir de la porte retentit par trois fois.

Nous nous regardâmes. Qui cela pouvait-il être ? La maison de Cosimo de Forli ne recevait d'autres visites que celles du froid et, parfois, d'un courrier.

Le maître, qui venait de se lever, sursauta et chercha la servante d'un air ahuri.

« Melania, montre-toi au judas ! ordonna-t-il.

— Oui, oui. »

Inquiète, la grosse femme s'essuya les mains sur son tablier et alla passer le nez par la petite ouverture qu'elle entrebâilla à peine. Elle recula aussitôt, puis regarda de nouveau et revint en courant dans l'atelier.

« Un cortège ! Un cortège ! cria-t-elle.

— Qu'est-ce que tu dis ? Qui est-ce ?

— Un cortège. Un tas de beaux messieurs...
Des gens importants. »

Les mots se bousculaient sur ses lèvres.

Le maître quitta sa chaise, puis, d'un pas très
lent, s'enfonça dans l'étroit corridor et gagna la
porte. Il regarda par le judas et le referma d'un
coup. Il tenta de se redresser, arrangea ses mèches

grises, secoua sa chemise et ouvrit enfin le lourd panneau de bois.

La silhouette altière qui se découpait sur le paysage florentin couvert de gelée blanche était celle du duc d'Algora en personne. Je le reconnus tout de suite. Il était l'un des meilleurs clients de mon père. Je reconnus aussi sa casaque de laine bordée de passementerie.

« Je vous salue bien, maître, déclara le duc de sa voix posée. Comment vous portez-vous ?

— Bien, monseigneur, répondit Cosimo sans en penser un mot. Mais entrez, entrez, je vous prie. Il fait trop froid pour rester dehors. »

Le duc entra sans se presser, regardant autour de lui sans en avoir l'air ainsi qu'il seyait à quelqu'un de son rang. Derrière lui se faufila la petite ombre rougeaude de son secrétaire. Les autres hommes qui l'accompagnaient restèrent dans la rue, près du luxueux carrosse qui les avait amenés.

Cosimo referma la porte, tira une des chaises qui meublaient le vestibule et invita le duc à s'asseoir.

Piero, Baldo et moi, serrés les uns contre les autres dans le corridor, regardions de tous nos yeux en retenant notre souffle.

« Très cher maître, commença le gentilhomme,

j'aimerais savoir si vous avez du travail et de quel temps vous disposez. Je désire vous passer une commande. »

Cosimo s'inclina à grand-peine et dut s'appuyer au coin de la table pour se redresser.

« Monseigneur... je... je vous sais gré de vous être souvenu de moi. »

Le duc ôta ses gants.

« Comment pourrais-je vous oublier ? continua-t-il sans le regarder. Votre merveilleuse allégorie de la liberté préside à toutes mes fêtes depuis le plafond de ma salle de bal. »

Une allégorie de la liberté ? Cosimo avait peint une allégorie de la liberté ? Cosimo de Forli, qui retenait son meilleur élève prisonnier pour la simple raison qu'il était meilleur artiste que lui ! Le mépris que j'éprouvai emplit ma bouche d'amertume. Voilà donc quel était mon maître, un maître dont je ne pouvais apprendre que l'hypocrisie.

« Chuuut ! » murmura Piero.

Je sursautai, effrayé. Dans ma rage, j'avais dû sans m'en rendre compte laisser échapper une exclamation.

« Ma fille se marie, cher maître, reprit le duc.

— La petite Bianca...

— Elle n'est plus si petite, répliqua le gentilhomme avec un éclat de rire. Elle va sur ses quinze ans.

— C'est une jeune personne d'une grande beauté, minauda Cosimo dont le style et l'élégance n'étaient pas les meilleurs atouts.

— Oui, elle est très jolie. Mais il se trouve que la chapelle du palais est un peu... comment dire... un peu nue. Oui, c'est le mot : elle est nue. Mon épouse et moi-même avons pensé qu'elle serait beaucoup plus accueillante si nous décorions l'arrière de l'autel d'une belle fresque et si nous polissions les marbres.

— Sans doute, sans doute. Mme la duchesse possède un goût extraordinaire. Florence entière l'admire. »

Comment Cosimo pouvait-il savoir ce que pensait Florence, alors qu'il ne quittait jamais son obscure tanière ? Flatterie, tout cela n'était que flatterie.

« Nous attendons donc de vous, maître Cosimo, un croquis nous montrant à quoi ressemblera le chœur quand la fresque sera réalisée.

— N'ayez aucune crainte, monseigneur le duc. J'exécuterai moi-même ce croquis et je vous le ferai porter. »

Le gentilhomme se leva et tendit une main vers son secrétaire.

« Cet argent est destiné à couvrir les premiers frais, dit-il. Lorsque vous nous présenterez l'esquisse, et si elle nous convient, vous en recevrez encore autant. Nous ajusterons le prix total en fonction de ce qui sera nécessaire, quand nous aurons vu les matériaux que vous compterez employer et le travail que demandera la préparation du mur. Êtes-vous d'accord ?

— Dieu nous vienne en aide ! » s'exclama Melania en disparaissant dans la cuisine.

Cosimo prit la bourse pleine de florins que lui offrait le secrétaire et s'abîma en promesses et remerciements.

« Merci, monseigneur. Vous êtes toujours si généreux... Votre distinguée épouse et vous-même serez satisfaits, je vous le promets. Ce sera la plus belle œuvre de mon atelier, vous pouvez en être sûr. Toutefois, vous ne m'avez pas dit...

— Oui ?

— Le sujet, monseigneur. Que souhaitez-vous voir représenter sur cette fresque ?

— Je laisse ce choix à votre génie, monsieur le peintre. C'est vous qui êtes l'artiste. »

Le duc et son diligent secrétaire se dirigèrent vers la porte. La lumière crue du givre que le soleil matinal n'avait pas réussi à vaincre pénétra dans la maison, aveuglant les araignées et révélant la moisissure des recoins.

« Ah ! fit encore Sa Seigneurie qui se drapait dans sa cape fourrée et bordée de martre. La noce doit avoir lieu au début de l'été. J'espère que vous pourrez respecter ce délai, maître.

— Bien sûr, bien sûr. Soyez tranquille, monseigneur. »

Il referma la porte, porta ses mains à son estomac et se retourna. Son visage nous effraya.

« Melania ! hurla-t-il.

— Dieu me garde ! s'exclama la servante.

— Attise le feu ! Cette maison est glacée. Prépare-moi un potage et du vin chaud. Giuseppe !

— Que se passe-t-il ? demandai-je, terrifié.

— Rien, répondit Piero à mi-voix. Il a une commande, c'est tout.

— Et c'est pour cela qu'il se met dans cet état ?

— Arduino ! »

Je sursautai. Ses cris me donnaient la chair de poule.

« Oui, maître.

— Aiguise toutes les pointes de charbon. Nettoie les brosses et les pinceaux. Je les veux comme neufs, c'est compris ?

— Oui, maître. »

À compter de cet instant, l'atelier et la maison

tout entière se transformèrent en un enfer. Melania allait et venait dans la cuisine en marmonnant des jurons et des malédictions. Giuseppe passait en revue le contenu d'un énorme carton plein de dessins, triant les thèmes religieux, mythologiques et ornementaux. Piero préparait de ses mains magiques la sanguine qui servirait à la première esquisse. Baldo récurait les mortiers et les tables pour y poser les feuilles neuves ; profitant de la confusion qui régnait, il entrait à tout bout de champ dans la cuisine et en ressortait la bouche pleine.

Quant à moi, étourdi et apeuré, je taillais des pointes, j'allais chercher de l'eau, j'apportais du vin au maître, je nettoyais ce que Baldo avait taché, je rajoutais du suif dans les lumignons...

La nuit venue, quand je m'assis près du trou grillagé pour raconter à Donato ce qui s'était passé au cours de la journée, son commentaire me laissa pantois.

« Pauvre maître, dit-il. Esclave du travail, de l'argent et de la réputation.

— Pauvre maître ? m'exclamai-je. Tu ne le hais pas ? »

Donato resta un moment silencieux. Il semblait regarder à l'intérieur de lui-même.

« Je crois que non, répondit-il enfin. Quand je

travaillais avec lui, je l'admirais. C'est un peintre extraordinaire. Ensuite, lorsqu'il m'a enchaîné ici, j'ai eu envie de le tuer. »

Il soupira.

« Le temps remet les choses à leur place. Cosimo m'a enseigné son art et ici, dans ce grenier, j'ai eu le loisir de le mûrir. J'ai appris à estimer à leur juste valeur les choses qui le méritent et à mépriser ce qui n'est que vanité et ambition. Au fond, c'est à lui que je dois cela. Non, je ne peux pas le haïr.

— Crois-tu qu'il pourra exécuter la commande ? demandai-je d'un ton inquiet.

— Bien sûr, qu'il le pourra. Il l'a déjà fait d'autres fois.

— Il devient si nerveux..., murmurai-je. Et en plus, il est malade.

— Malade ?

— Il a quelque chose dans l'estomac ou dans le ventre. Melania le soigne en lui appliquant des chiffons brûlants et il ne se lève pas avant le milieu de la matinée. »

Donato se tut, le regard lointain, perdu dans ses pensées. Au bout d'un moment il soupira, se frotta les yeux et reprit de sa voix si calme :

« Cette commande sera ta chance, Arduino. Une fresque est une technique qui demande beaucoup de travail. Toutes les mains seront requises. Je suis sûr qu'ils feront appel à toi.

— Oui, lâchai-je avec amertume. Ils me feront casser des œufs pour préparer l'agglutinant... »

Donato mit une main sur sa bouche pour réprimer un éclat de rire.

« Non, non... Tu ne connais donc pas la technique de la peinture *a fresco* ?

— Non. »

C'est ainsi que j'appris cette nuit-là la meilleure façon de préparer les murs, comment calquer les dessins à l'aide de papiers perforés, planifier le travail pour les couleurs, le dégradé des teintes, la technique de la détrempe, ce qu'il fallait faire pour éviter que les tons se mélangent...

Le pépiement timide des moineaux transis de froid nous surprit.

« Dieu du ciel ! Il commence à faire jour ! » m'écriai-je.

Et je redescendis à toutes jambes jusqu'à ma paillasse pour que Melania ne découvre pas mon absence en se levant.

7

Le plus raisonnable

Le maître travaillait à la sanguine sur un grand carton ivoire. Giuseppe l'aidait, Piero, Baldo et moi rangions, nettoyions, préparions des feuilles et jetions des coups d'œil furtifs par-dessus l'épaule de Cosimo chaque fois que nous passions derrière lui.

Le croquis surgissait de sa main comme s'il était déjà tracé à l'avance. Chaque ligne venait compléter la précédente et annonçait la suivante. Tout était parfaitement précis, harmonieux, équilibré. Le thème, les fiançailles de la Vierge, me semblait fort bien choisi et la composition en diagonale très originale.

Cosimo s'activait avec fièvre ; il ne s'interrompait que pour boire les tisanes que Melania lui apportait d'un air plein d'ennui ou pour se plier en deux avec un gémissement.

Par une nuit sans lune, alors que Donato m'expliquait l'effet de profondeur que produit une source de lumière au fond d'un tableau, une soudaine quinte de toux de mon maître me fit sursauter. Quand je regardai vers la cuisine et aperçus le reflet de la chandelle de Melania, mes tempes s'emplirent d'un bourdonnement.

« Il se passe quelque chose ! chuchotai-je. Il faut que je descende. »

Épouvanté, sans voir où je mettais les pieds et sans prendre congé de Donato, je dévalai les marches quatre à quatre et me précipitai dans mon coin. Je haletais encore, le cœur dans la gorge, quand la voix alarmée de la bonne me fit sursauter de nouveau.

« Arduino, réveille-toi, petit. Le maître est malade. »

Je me levai et la suivis. Qu'arrivait-il ? Pourquoi m'appelait-elle, moi plutôt qu'un autre ? Que pouvais-je faire de particulier ?

Nous traversâmes une petite pièce obscure et

vide et entrâmes dans la chambre du maître. Un frisson me parcourut. Depuis des mois que je vivais sous ce toit, je n'avais jamais pénétré dans le domaine de Cosimo. C'était une pièce carrée, aux coins noirs et humides, sur laquelle rien ne se détachait ; ni le lit surélevé aux épais rideaux de lainage gris, ni le grand coffre fatigué aux ferrures rouillées, ni le tabouret de cuir noirâtre oublié dans un coin.

« Melania…, appela le malade d'une voix angoissée.

— Ouiii… Je suis là.

— Melania », répéta Cosimo dans un souffle.

Je m'approchai, tremblant. Le visage jaune du maître, encadré de mèches grises qui ressemblaient à une toile d'araignée, ressortait contre les draps.

La servante me tendit une bassine ébréchée.

« Tiens ça », me dit-elle.

Je pris le récipient. J'étais tellement abasourdi et tellement effrayé que je ne comprenais pas ce qu'ils attendaient de moi. Cosimo gémissait, se tournait, gigotait. Soudain il se redressa, renversa la tête en arrière et se mit à vomir sans regarder ce qu'il faisait.

J'eus l'impression que tout se mettait à tourner

autour de moi. Chaleur, odeur, couleurs... dégoût, vertige, nausée.

« Arduino, redresse la cuvette, bonté divine ! Maudit soit mon destin ! Tu ne vois pas qu'il salit tout ? » cria Melania.

Non seulement je le voyais, mais je le sentais aussi sur ma figure et sur mes mains.

« Qu'est-ce que je dois faire ? demandai-je, affolé.

— Qu'est-ce que tu dois faire, bougre d'âne ? Arrange-toi pour qu'il vomisse dans la cuvette, bon sang ! »

Mais ce n'était pas aussi facile. Cosimo se tournait dans tous les sens ; moi, je pouvais à peine respirer et encore moins regarder où je mettais le bassin. Cela ne dura que quelques minutes, mais je crus bien que j'y avais passé le reste de ma vie.

Enfin, Melania recoucha le maître et vint me prendre la cuvette.

« Tu t'es tout sali. Tant pis, tu auras le temps de te laver plus tard. Pour l'instant, il faut que tu ailles appeler le médecin.

— Appeler le médecin ? Pourquoi moi ? Je ne sais pas où il habite, et en plus je suis tout sale et tout mouillé », protestai-je.

Melania m'essuya un peu avec un chiffon, puis se pencha à mon oreille.

« Le maître va très mal, me dit-elle en baissant la voix. Il faut absolument que le médecin le voie. Je vais te dire où il habite.

— Les autres peuvent y aller, répliquai-je d'un ton furieux. Giuseppe est l'aîné. Qu'il y aille, lui ! »

Melania tira une cape du coffre, m'enroula dedans et me poussa dehors.

« Giuseppe ne doit rien faire dans la maison, il a un contrat spécial, m'expliqua-t-elle dans le corridor. Piero est si délicat que je n'ose rien lui demander, et Baldo... bon, Baldo fait tout de travers.

— Mais moi...

— Toi, tu es le plus dégourdi et le plus raisonnable », coupa la servante en passant son énorme bras sur mes épaules.

Je n'osai plus rien dire. La colère et l'émotion se mélangeaient en moi.

Une fois à la porte d'entrée, Melania arrangea encore la cape qui m'enveloppait.

« Quand tu sortiras, prends sur ta droite et marche jusqu'à une place avec une statue ; là, tu verras trois rues. Il te faudra prendre celle de gauche, la plus étroite ; c'est la deuxième porte. Tu la reconnaîtras tout de suite, elle a un heurtoir en forme de fleur de lys.

— Mais...

— Demande le docteur, il s'appelle Mitone. Dis-lui que le maître est très malade. Il viendra à toutes jambes, ils sont bons amis.

— Mais je... je ne peux pas... »

Melania me poussa dans la rue.

« Allez, cours ! cria-t-elle. Tu ne vois pas que le maître se meurt ? Que le diable m'emporte ! Maudite vie ! »

Et elle referma la porte.

Florence m'apprit d'un seul coup toute la noirceur de sa nuit. L'air glacé, toutefois, me délivra un peu de l'odeur aigre de mes vêtements et éclaircit mes idées.

« Je dois ramener ce médecin, pensai-je. Si jamais Cosimo meurt... »

De nouveau, je me sentis égoïste et mesquin. La santé de mon maître ne m'importait que parce qu'elle avait une influence sur mon désir de peindre.

« Comment puis-je être aussi intéressé ? me dis-je encore. Je ne suis pas un scélérat, je suis le fil d'Emilio Néri. Je suis un artiste florentin. »

Ce fut seulement en me répétant cet argument que je parvins à trouver assez de courage pour me mettre à avancer.

Je n'y voyais goutte. Dans sa précipitation, Melania ne m'avait pas donné de lanterne ; il ne devait pas y en avoir dans la maison, de toute façon. La nuit enveloppait tout. Je ne connaissais pas la rue dans laquelle je marchais, je ne savais même pas où je posais le pied. Je suivis le mur à tâtons pour ne pas me perdre, et j'avançai ainsi de quelques mètres. Mes doigts tremblants effleuraient des pierres rugueuses, des grilles glacées, des poignées rouillées...

J'étais mort de peur. J'avais entendu mille histoires à propos de criminels nocturnes, de vengeances, d'attaques. Melania elle-même nous contait chaque soir avec force détails les drames du quartier et ceux dont elle se souvenait du temps de sa jeunesse.

J'arrivais à peine à respirer, sans savoir si c'était la peur, le froid ou l'odeur de mes habits qui m'en empêchaient.

Les yeux d'un chat me firent frissonner et, pendant un moment, je ne pus retrouver le mur.

J'avais la nausée. J'étais si attentif au moindre bruit, au moindre glissement, au moindre frôlement que j'avais l'impression de sentir ma tête rebondir sur mes épaules.

Soudain, le mur se termina et je devinai l'angle de la pierre. J'étais arrivé au coin, mais il m'était impossible de voir la place et encore moins de distinguer la statue. Je ne discernais même pas ce que j'avais juste devant moi.

J'hésitai. Perdre l'appui du mur revenait pour moi à me lancer dans le vide, mais il fallait bien que j'avance. Je regardai de tous côtés, et j'aperçus sur ma droite un mince filet de lumière qui filtrait sous une persienne. Il me parut très lointain, au bout d'une rue.

« Ça doit être la rue de droite, pensai-je. Il doit y en avoir une autre au milieu, et la troisième sera celle du médecin. »

Le mieux était de suivre la petite lumière pour m'orienter sur la place. Je lâchai le mur et entrepris de traverser lentement, pour ne pas trébucher. La rue n'était pas très large ; mais alors que je me croyais sur le point de toucher l'autre côté, je perçus un bruit d'éclaboussure et une sensation glacée envahit ma botte. J'avais marché dans une flaque ; c'était comme si l'eau froide me coupait la jambe.

Je m'appuyai au mur pour reprendre mon souffle... et me retrouvai tout à coup assis par terre. J'avais posé la main sur la porte d'une boutique à l'abandon qui s'était ouverte sous mon poids.

« Rien ne me réussit, me dis-je, furieux. Pourquoi dois-je endurer tout cela ? Mon père paye pour qu'on m'apprenne à peindre, pas pour que je dorme par terre, que je mange des saletés et que je sorte en pleine nuit, mort de peur et couvert de... »

Au moins, mes larmes étaient chaudes. Je me levai, en colère, et songeai un instant à prendre la fuite. Je partirais très loin et je vivrais comme je pourrais, je travaillerais comme domestique, je naviguerais avec des pirates... N'importe quoi plutôt que de continuer ce cauchemar.

Mais le souvenir de mon malheureux ami prisonnier et de tout ce qu'il m'avait appris pendant mes visites au trou du grenier me rendit le courage dont j'avais besoin pour me remettre à avancer. Je poursuivis ma route en direction de la rue où brillait la petite lumière ; c'était le seul chemin qui menait quelque part.

Une fois que j'eus atteint cette rue et que je l'eus traversée, partant sur ma gauche, je me retrouvai de nouveau sans le moindre point de repère. Tout était redevenu noir, identique. Tremblant, je cherchai le mur qui bordait la place et le suivis avec ma main jusqu'au moment où je rencontrai le coin de la rue centrale. Il ne me restait plus qu'à la traverser, et la suivante serait celle du médecin.

Le froid engourdissait mes mouvements.

Une cloche sonna deux heures. Alors que j'étais presque à l'autre coin, un bruit de voix me figea sur place.

« Si nous entrons par la porte de derrière, personne ne nous entendra, disait un homme.

— C'est sûr ! approuva un autre en riant, Personne ne se rendra compte de rien. Nous pourrons tout emporter, jusqu'aux chandelles ! »

Son comparse s'esclaffa à son tour. Il s'agissait sans aucun doute de voleurs en train de préparer un forfait. Je retins mon souffle et me plaquai autant que je le pus contre le mur. Je priais le ciel qu'ils ne marchent pas trop près des façades, que mes dents ne se mettent pas à jouer des castagnettes, que mes genoux ne cèdent pas sous moi...

Je perçus, tout près, l'air déplacé par leur cape et la vibration de leurs pas. Je redoutais qu'ils n'entendent les coups sourds qui ébranlaient mon corps tout entier.

« Attention, Bruno ! s'exclama l'un d'eux à deux doigts de mon oreille. Tu ne vois donc pas qu'il gèle ? »

Ils s'arrêtèrent, si près de moi que je pouvais sentir la chaleur de leur haleine.

« Pouah, quelle puanteur ! Les gens ont dû jeter quelque chose, par-là. Qu'est-ce que ça peut être ?

— Tu veux t'arrêter pour vérifier ? riposta celui qui semblait le plus âgé. C'est sûrement une bête morte ou quelque autre saleté.

— Saloperie de ville ! »

Et ils s'éloignèrent, continuant à descendre la rue d'un pas léger.

Je respirai, soulagé. L'odeur atroce qui soulevait mon pauvre estomac m'avait permis d'échapper à une belle peur, et peut-être même à la mort.

Je me remis à marcher, suivant le mur à tâtons, et je tournai enfin au coin de la rue de gauche. Là, je concentrai toute mon attention sur la façade pour ne pas manquer la porte que je cherchais.

Un portail... Une... non, deux fenêtres... Une niche vide... et la deuxième porte. Je cherchai avec anxiété le heurtoir et le contour de la fleur de lys que j'avais dessiné tant de fois dans mes cahiers ; quand je le trouvai, il me parut plus beau que jamais. Je frappai.

« On vient, on vient ! » répondit une voix de femme.

Seule la moitié de la porte s'ouvrit et un visage large, coiffé d'un bonnet de laine grenat, me regarda avec des yeux endormis.

« Que veux-tu ?

— Je cherche le docteur Mitone, répondis-je, à bout de souffle.

— Qui le demande ?

— Mon maître, Cosimo de Forli. Il est très malade.

— Attends », dit la femme. Et elle referma la moitié de porte.

Je grelottai encore quelques minutes dans l'obscurité, puis la porte s'ouvrit de nouveau et un homme grand et mince, enveloppé dans une cape de laine défraîchie, me tendit une mallette.

« Qu'est-ce qu'il a, Cosimo ?

— Je ne sais pas. Il vomit, il a mal au ventre, il tousse... »

L'homme prit une lanterne et se mit à marcher à grandes enjambées.

J'avais peine à le suivre, avec mes pieds gelés et le poids de la mallette.

Nous arrivâmes tout de suite sur la place, et je pus voir dans l'ombre la statue dont Melania m'avait parlée.

« At-chououm ! »

Le médecin lâcha un éternuement qui le secoua.

« Jolie heure pour sortir de chez soi..., marmonna-t-il en se mouchant. Ce métier ne tient compte ni de la nuit ni du froid. Toutes ces études pour être esclave des autres. Toutes ces années pour arriver à la vieillesse sans passer une seule

nuit tranquille. Ah ! si je pouvais... Si je devais naître une seconde fois... »

Le docteur se sentait pris au piège, lui aussi, esclave de son travail, bien qu'il fût riche et respecté.

Très vite, nous fûmes devant la maison et il frappa d'une main ferme.

Le loquet grinça, raidi par le froid, et Melania lui montra le chemin sans cesser de parler.

« Merci d'être venu, docteur. Il est comme ça depuis plusieurs mois, mais comme il ne veut pas se laisser soigner... J'aurais voulu vous appeler, déjà, mais il ne m'a pas permis de le faire. Mon maître est têtu comme un âne, vous le savez bien... »

Ils entrèrent dans la chambre. Moi, je restai dans la cuisine, près du feu que Melania avait ravivé. Je ne me décidais pas à bouger, pas même pour quitter ma cape.

« Qu'est-ce que tu fais, si près du feu ? Tu veux provoquer un incendie ? Il ne manquerait plus que ça. »

Je regardai Melania. Elle était rouge et essoufflée.

« Le médecin est déjà parti ? demandai-je.
— Oui. »

Combien de temps avais-je passé ainsi, cloué près du feu ?

« Qu'est-ce qu'il a, le maître ?

— Eh bien... je ne sais plus comment le docteur Mitone a appelé ça. Tout ce que j'ai compris, c'est qu'il a le ventre encombré et à moitié pourri. Il va falloir qu'il garde le lit et qu'il mange des légumes pendant un certain temps. »

Elle me regarda et son expression s'adoucit.

« Mon pauvre petit, tu es mouillé et tout sale. Attends. »

Elle entra dans la buanderie et en ressortit avec une lourde cuve de bois. Elle l'emplit à moitié d'eau froide, puis la compléta avec l'eau qui bouillait dans la marmite en fer suspendue au-dessus du feu.

« Allez, quitte-moi ces affaires dégoûtantes et saute dans la cuve. Je vais t'apporter du linge propre. »

L'eau chaude était un délice. Je me sentais satisfait de moi-même. J'avais vaincu ma peur, mon dégoût, ma colère, et c'était un vrai triomphe. Ce bain était ma récompense.

Melania revint avec mes vêtements et un grand morceau de drap qu'elle réchauffa près du feu.

« Tu t'es très bien comporté, dit-elle. Je savais que je pouvais avoir confiance en toi. J'ai une grande expérience des garçons ; dès que je vois leurs yeux, je sais de quelle pâte ils sont faits. Toi, tu fais partie des bons. Tu mérites mieux que ce nid de jalousies et de misère. »

Elle se mit à me frictionner la peau et soupira.

« Si je pouvais choisir... C'est un vrai malheur, de naître fille et domestique. Toujours obéir, même si celui qui te commande est pire que toi. Se taire, même si tu n'es pas d'accord. Supporter, toujours supporter. »

Avant que j'aie pu profiter de son état d'esprit pour lui poser quelques questions, la voix du maître l'appela, chargée d'angoisse, et Melania disparut parmi les portes et les rideaux.

8

Les clés

Cosimo s'efforçait de continuer le dessin, de sa chambre, mais sa main manquait de sûreté et sa vue trahissait les lignes qui naissaient de son inspiration. Son humeur s'aigrissait de jour en jour, il criait et tempêtait pour le moindre motif.

Un après-midi, après une matinée épuisante passée à aller et venir de l'atelier à la chambre du maître avec des cartons, de la peinture, des planches et des supports, Cosimo se déclara vaincu.

« C'est impossible, je ne pourrai jamais terminer ! Je vais me brouiller avec le duc ! Dieu du ciel, avoir espéré si longtemps une commande pareille et maintenant... maintenant... »

Sa voix se perdait dans ses oreillers.

« Maître... Maître... », gémissait Giuseppe.

Melania, elle aussi, grognait dans sa cuisine.

« Adieu le calme et les assiettes remplies. Sans travail il n'y a pas d'argent, et sans argent... Maudite vie !

— S'il n'y a pas de travail et si le maître ne peut plus enseigner, qu'allons-nous faire, nous ? murmurait Baldo tout en mordillant en cachette une pomme qu'il avait volée dans la huche de la cuisine.

— Il ne s'agit pas seulement de l'argent, mais aussi du prestige, raisonnait Piero. Une commande bien exécutée apporte d'autres commandes. C'est une chaîne. »

Quand j'entrai dans la chambre de Cosimo pour changer les chandelles, Giuseppe tentait de continuer le projet en suivant les indications du maître.

« Arrondis plus ce volume. La courbe de la tête doit s'harmoniser avec la ligne du dos et équilibrer celle des jambes. Non... Non ! Pas comme ça ! Tu ne comprends rien, Giuseppe. Je ne sais pas ce que je vais faire de toi. Tu es ici depuis des années et chaque jour tu sembles en savoir moins.

— Maître..., protestait le disciple favori, en pleurs.

— Si tu n'es même pas capable d'exécuter le carton selon mes conseils, comment pourras-tu réaliser la fresque tout seul ? C'est impossible, impossible ! Il vaut mieux que je fasse porter au duc un message lui demandant de confier ce travail à un autre. Quelle honte ! Cosimo de Forli refusant une commande ! »

Giuseppe se laissa tomber par terre, près du lit, et continua à sangloter, caché entre les plis des rideaux.

« Pourquoi n'engagez-vous pas un spécialiste ? me hasardai-je à demander d'une voix timide.

— Un spécialiste ! tonna le maître. Un spécialiste de quoi ? De toutes les disciplines ? Ce ne serait plus une œuvre de mon atelier, ce serait un travail qui n'aurait plus rien à voir avec le mien. Il n'aurait ni mon style, ni mes tons. Ce serait une escroquerie. Je préfère renoncer à cette commande et abandonner avec elle mon dernier espoir de m'arracher enfin à cette misère humiliante. »

Donnant un grand coup de reins dans son lit, il remonta les draps jusqu'à ses oreilles.

Giuseppe se leva, épouvanté, et courut se réfugier dans l'atelier.

Durant quelques minutes, on n'entendit plus que le crépitement allègre des chandelles et, au loin, les gémissements saccadés de Giuseppe.

Je restai figé sur le seuil de la porte. Je venais d'avoir une idée qui me donnait le vertige et en même temps me paraissait extraordinaire. Une solution qui réglerait à la fois les ennuis de Cosimo et mes remords incessants. Le problème était de savoir comment l'annoncer.

« Maître... », dis-je d'une voix tremblante.

Un grognement venu d'entre les draps me fit comprendre qu'il m'avait entendu.

« J'ai... j'ai... j'ai pensé à un moyen de... de... de terminer la commande. »

Les flammes des chandelles dansaient devant mes yeux.

« Eh bien ? » fit Cosimo.

J'éprouvais une telle terreur que ma gorge se refusait à émettre un son.

« Do... Do... nato », parvins-je enfin à articuler.

Cosimo se redressa d'un coup dans son lit.

« Qu'est-ce que tu as dit ? Comment connais-tu ce nom ? »

Son visage était si pâle et son expression si féroce que j'eus l'impression que la maison, Florence et le monde entier s'écroulaient sur ma tête. Je restai muet, ne sachant que répondre. Deux pensées, à elles seules, occupaient tout mon esprit : le visage de Cosimo, qui semblait avoir doublé, et la menace d'être renvoyé d'un coup de pied au derrière chez mon père.

« Allez, réponds ! Que sais-tu au sujet de Donato ? »

Mes genoux pliaient sous moi.

« Je... maître...

— Comment est-ce possible ? Comment peut-il savoir ? Melania ! *Melania !* »

La servante accourut, effrayée.

« Qu'est-ce qui se passe ? Pourquoi m'appelez-vous de cette manière, par tous les diables ? »

Dès qu'elle vit la figure du maître, elle poussa un cri d'effroi.

« Aaaah ! Pourquoi vous levez-vous, sapristi ? Vous voulez donc rendre tripes et boyaux ?

— Ce nigaud, là... Que sait-il de Donato ? Que lui as-tu dit ? Avec quelle permission as-tu parlé de lui ? »

Melania repoussa le malade en arrière d'une main ferme et le couvrit en grommelant. Après quoi elle se laissa tomber sur le tabouret de cuir.

« Eh bien ! reprit-elle d'une voix forte. Qu'est-ce que c'est que cette histoire ? »

Cosimo ne répondit pas. Il gémissait et secouait la tête d'un côté à l'autre.

« Il s'est mis en colère contre moi parce que je lui ai dit que Donato pourrait exécuter la commande du duc », déclarai-je d'un trait.

Melania me dévisagea avec des yeux énormes et ouvrit la bouche pour proférer une de ses malédictions, mais soudain son expression changea.

« Tu crois vraiment que Donato en serait capable ? me demanda-t-elle avec intérêt.

— J'en suis certain, affirmai-je.

— Après tout ce temps ? »

Je hochai la tête. Le nœud qui me serrait la gorge augmentait et m'empêchait presque de respirer.

« Pourquoi ne pas essayer..., dit-elle en se relevant pour s'approcher du lit. Maître, sortez donc la tête de vos draps et écoutez-moi : l'idée de ce gamin n'est pas du tout stupide.

— Comment est-il au courant ? insista Cosimo.

— Quelle importance, maintenant ? Le principal est d'avancer la commande. »

Pendant quelques minutes, un grand silence plana sur la chambre. Le maître, entre ses mèches grises et ses draps, paraissait dormir. Melania attendait. Moi, j'avais les jambes gelées et la sueur au front.

Tout à coup la voix du maître s'éleva, si faible que j'eus du mal à l'entendre.

« Il ne voudra pas faire ce travail. Il ne songera qu'à me tuer. »

Melania me regarda.

« Qu'est-ce que tu en penses, toi ?

— Il le fera », affirmai-je.

Le malade secoua la tête pour se dégager des draps et fixa ses yeux jaunes sur les miens.

« Tu en es sûr à ce point ? Tu le connais assez pour cela ? »

Je ne répondis pas ; je me contentai de soutenir son regard, malgré les larmes que je sentais gonfler sous mes paupières.

« Allez, maître, vous n'avez pas d'autre issue », trancha la servante.

Cosimo hésita encore, puis finit par céder.

« Donne-lui les clés », murmura-t-il.

Melania détacha le cordon de son cou et me tendit la grosse clé rouillée de la porte du grenier. Ensuite, elle alla jusqu'au coffre et tira d'une cassette en bois une clé plus petite : celle des fers.

Les clés ! Combien de nuits avais-je cherché la meilleure façon de m'en emparer, recroquevillé dans mon coin... Combien d'aubes avais-je passées à échafauder des plans et des stratégies, tremblant de peur et de désespoir ? Dès que je les sentis dans ma main, je ne pensai plus qu'à une chose : courir au grenier et délivrer mon véritable maître.

Tandis que je m'acharnais sur la serrure rouillée de ses chaînes, je racontai à Donato ce qui était arrivé. Il me regardait sans rien dire, mais j'entendais son souffle saccadé. Quand il fut libre, il se leva, arrangea ses haillons et me serra dans ses bras. Puis il se dirigea tout de suite vers la porte, s'arrêta un instant sur le palier, étourdi, empoigna la corde qui servait de rampe et dévala les marches.

Sa réaction me déconcerta. Où allait-il, si vite ? Dans la rue ? Tuer Cosimo ? Je le suivis. De la salle, je le vis hésiter devant la chambre du malade. La porte de l'atelier était ouverte, la négligence la plus courante de Baldo, et le regard de Donato se coula à l'intérieur. La lumière blanche rejaillissait sur les cartons. On sentait l'odeur de colle et de plâtre. On percevait le rythme du pilon manié par Piero.

Donato se passa une main sur le visage, renversa la tête en arrière et pénétra dans la chambre de Cosimo.

Melania se retira sans rien dire. Donato marcha jusqu'au lit et contempla le visage déformé de son maître.

« Donato... », marmonna le malade, qui n'avait plus assez de forces pour garder sa superbe.

Sa tignasse grise, ses yeux fatigués cernés de petites rides, sa bouche crispée et décolorée... Le regard plein d'orgueil avec lequel Donato était descendu du grenier s'adoucit peu à peu et se changea pour finir en une ligne brillante, chargée de regrets.

« Maître, dit-il d'une voix étrange.

— Donato, reprit le malade. Je... j'ai été injuste avec toi. Je ne voulais pas... je craignais... Je me suis laissé emporter par la jalousie. Ton talent me blessait... Je... je... Dieu me pardonne ! »

Donato poussa un soupir venu du plus profond de son être, frotta ses mains glacées.

« Qu'y a-t-il à faire ? demanda-t-il.

— Mais..., fit le maître, déconcerté.

— Où est le carton ? insista Donato.

— Arduino va te le montrer. »

Donato entra dans l'atelier comme s'il marchait sur des nuages. Il regardait tout, les yeux brillants, et s'arrêtait avec émotion devant les moindres détails.

« Maître, voici le carton, dis-je quand il arriva près de la table à dessin.

— Maître... », répéta-t-il en me regardant dans les yeux.

À ce moment-là, Giuseppe qui était toujours perché sur son siège haut, les jambes serrées et le

117

visage dans les mains, releva la tête et contempla l'arrivant avec stupeur.

« Toi ?

— Bonsoir, Giuseppe, répondit mon maître de son accent plein de douceur.

— D'où sors-tu ? Pourquoi parles-tu ainsi ? »

Donato sourit.

« Ne t'inquiète pas de cela. Je ne suis qu'un fantôme. »

Giuseppe se leva d'un bond, poussa un petit cri aigu et disparut en courant dans le patio.

Melania se mit à rire avec des gloussements de poule.

« Qu'un fantôme... », murmura Donato pour lui-même.

Le carton à demi achevé rendit leur lumière aux yeux de mon maître.

« Il a toujours autant de génie, dit-il.

— Qui ? »

Il me jeta un regard étonné.

« Cosimo. Son mauvais caractère, sa rancœur et son avarice n'ont pas gâché la splendeur de son art. Il n'y a que ces lignes, là... Elles paraissent plus incertaines, moins inspirées.

— C'est Giuseppe qui a dessiné cette partie, expliquai-je, abasourdi par sa perspicacité.

« — Pauvre Giuseppe..., commenta-t-il en baissant la voix. Il ne sera jamais un bon peintre.

— Il travaille beaucoup et s'applique de son mieux. En outre, Cosimo le place au-dessus de tout le monde. »

Donato choisit l'une des pointes que je lui présentais, la fit rouler entre ses doigts.

« C'est un garçon plein de fierté, dit-il. Sa famille possède plus de quartiers de noblesse que de florins et voulait qu'il soit militaire, mais Giuseppe n'aime pas les armes. Il a été obligé de feindre une vocation passionnée pour la peinture.

— Qu'est-ce qui lui plairait, en réalité ? »

Mon maître haussa les épaules.

« Qui sait... Peut-être rêve-t-il simplement de regarder passer le temps entre les cordes de son luth. »

Je restai silencieux. Donato s'était mis à dessiner et tous les problèmes, les chagrins, toutes les peurs s'effaçaient devant la magie des contours, les effets de lumière, la force des contrastes, le mystère des ombres...

Deux heures plus tard, Donato se leva de la banquette. Il soupira et lissa sa chemise déchirée.

« Tu te souviens, Arduino ? Il est indispensable d'avoir une vue d'ensemble de l'œuvre. Il faut évaluer l'intensité des tons dans leur totalité, saisir le dessin entier d'un seul regard et… »

Il avait reculé de deux pas sans voir que Piero et Baldo se tenaient derrière son dos, bouche bée.

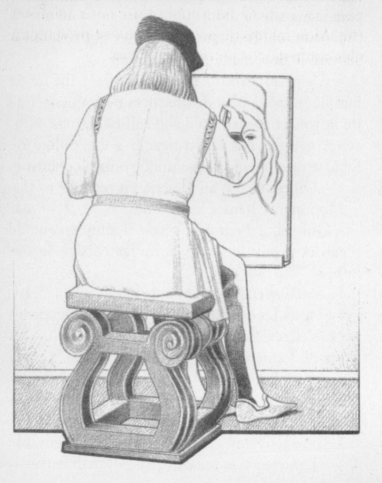

Pour ne pas leur écraser les pieds, Donato fit un bond sur le côté et s'appuya sur Baldo qui, surpris, tomba assis par terre. Nous nous regardâmes les uns les autres sans comprendre ce qui s'était passé, puis, sans savoir pourquoi, nous nous mîmes à rire. Mon maître ne pouvait mieux se présenter à mes compagnons pétris d'embarras.

9

La trahison

Cosimo contempla en silence l'ébauche que Donato lui montrait. Ses yeux mi-clos laissèrent échapper deux larmes jaunâtres, dont je n'aurais su dire si elles étaient dues à l'émotion ou à l'effort. Puis il esquissa un geste de sa main tremblante.

« Digne de mon atelier », dit-il.

Donato me regarda, satisfait.

« Il faut porter ce carton au palais du duc, reprit Cosimo de sa voix éteinte. S'il vient le voir ici, il se rendra compte de mon état et pensera que nous ne pourrons pas achever la commande. Il ne doit pas savoir que je suis malade.

— Il ne le saura pas, assura mon maître.

— Melania ! Melania ! Où est donc cette sorcière ? »

La servante arriva, soulevant des moutons avec les plis crasseux de sa jupe de laine.

« Qu'il soit en bonne santé ou malade, il ne sait qu'insulter et embêter les gens, ronchonna-t-elle. Maudit soit le jour où je suis née !

— Cesse de grogner et écoute : prépare la voiture et le cheval, et cherche des chiffons pour emballer ce carton. »

Melania regarda le dessin que nous tenions dressé sur le lit, s'essuya les mains, se gratta la tête et contempla Donato avec tendresse.

« Toi, tu es un véritable artiste.

— Allons, allons, la pressa Cosimo. Ne traîne pas. » Au moment où elle allait disparaître dans le corridor, il ajouta : « Et prépare aussi des habits décents pour Donato et Giuseppe. Il faut faire bonne impression.

— J'emmènerai Arduino. »

La voix de mon maître était restée douce, mais la fermeté de son intonation me surprit. C'était moi qu'il choisissait comme assistant ! Moi, le dernier arrivé et le plus maladroit !

« Giuseppe est celui qui doit t'accompagner. Il sait...

— J'emmènerai Arduino », répéta Donato.

Le malade haussa les épaules, puis, avec un soupir haché, s'enfonça de nouveau dans ses coussins. Mon maître me fit un signe et nous quittâmes la pièce, chargés du lourd carton.

« Présentez mes respects au duc ! » lança Cosimo du fond de ses couvertures.

Les vitraux colorés teintaient la lumière qui parsemait le sol de marbre brillant de la salle d'attente du palais. Tout était silencieux, et le temps s'allongeait tandis que nous attendions sur la molle banquette de velours bleu.

Donato, que son habit noir faisait paraître encore plus mince et plus pâle, laissait courir son regard serein sur les proportions parfaites des arcs en plein cintre qui marquaient l'entrée de la salle. J'étais nerveux et j'avais peur. Ce décor était trop grandiose pour moi et je me sentais aussi inquiet qu'un poussin sorti du nid ; pourtant, en même temps, l'émotion de me trouver dans un cadre que j'avais moi-même choisi et l'excitation que j'éprouvais devant l'inconnu me faisaient trembler sous ma cape.

Les petites gouttes de lumière multicolore traversaient lentement les dalles ; lorsqu'elles arrivèrent au pied des plinthes sculptées de glands et

de feuilles d'acanthe, un jeune garçon vêtu de culottes ajustées nous annonça la venue du duc.

Sa Seigneurie nous toisa du haut de sa large robe d'intérieur au col bordé de renard.

« Eh bien..., lâcha le duc d'un ton plein d'ennui.

— Mon maître, Cosimo de Forli, vous envoie ses respects et vous présente l'ébauche du travail que vous avez bien voulu lui commander », déclara Donato avec son étrange accent.

Une lueur d'intérêt s'alluma dans les yeux du duc, qui le regarda avec attention.

« Cosimo n'est pas avec vous ?

— L'hiver est dur et mon maître est âgé, monseigneur. Il vous prie de bien vouloir l'excuser et d'accepter notre ambassade.

— Montrez-moi ce dessin. »

Nous déballâmes le carton et le posâmes face à la lumière. Le duc l'examina durant quelques minutes.

« Fantastique, comme tout ce que produit la main de Cosimo de Forli », dit-il enfin.

Il se tourna vers Donato.

« Dites à votre maître que je brûle de voir ma chapelle décorée de ce thème merveilleux, qu'il a si magnifiquement traité, et donnez-lui... »

Il chercha dans la large emmanchure de sa robe

et en tira une bourse en peau de chamois fermée par un cordon.

« Donnez-lui ces florins, seconde partie du paiement comme convenu.

— Merci, monseigneur, dit Donato en s'inclinant devant lui.

— Comment vous appelle-t-on ? demanda le duc avec curiosité.

— Donato, monseigneur.

— Il y a longtemps que vous êtes chez Cosimo ? »

Mon maître sourit et posa un regard lointain sur les arches du vestibule.

« Une éternité, monseigneur », répondit-il.

Je n'avais jamais été aussi heureux qu'au cours de ces journées de travail passées dans la chapelle du palais. Monter l'échafaudage, préparer et lisser le mur, étudier la proportion entre le carton original et le panneau à décorer, mélanger les couleurs, mettre les dessins à l'échelle... Aucune tâche ne me semblait pesante ou ennuyeuse. Donato s'était organisé de façon à me faire participer à toutes les étapes. Baldo et Giuseppe, eux aussi, venaient travailler au palais et obéissaient sans broncher aux ordres du jeune maître.

« Giuseppe, s'il te plaît, aiguise les pointes. »

Mon compagnon à l'air pincé pâlissait et se mordait les lèvres.

« Eh bien, Baldo, ces feuilles ! »

L'attention de Baldo se portait plus volontiers sur les fenêtres, par lesquelles on apercevait les chariots chargés de légumes et de fruits qui arrivaient au palais.

Quant à moi, j'étais aussi fasciné par la technique de la fresque que par la beauté et le luxe qui m'entouraient. La voix douce de Donato et l'ambiance paisible de la maison repoussaient au loin mes craintes et mes angoisses.

« On ne prépare que le pan de mur qui pourra être peint dans la journée... », expliquait Donato.

La lumière rebondissait sur le socle de marbre des statues et allait se cacher dans les cristaux des lustres vénitiens où elle allumait mille scintillements.

« ... l'enduit doit être encore frais lorsqu'on applique la couleur... »

Vert, violet, bleu... Je retrouvais toutes les couleurs dans les plumes des étranges oiseaux que le duc collectionnait dans son patio couvert.

« ... si l'enduit est sec, la peinture ne prendra pas et s'écaillera... »

Les petits anges de terre cuite au ventre rebondi

se moquaient en silence des faunes sculptés sur les sièges.

« ... on ne peut pas non plus retoucher la peinture quand elle est sèche ; le raccord ne tiendrait pas. »

Quand le soleil allongeait l'ombre du cyprès au point d'en faire disparaître le contour, nous commencions à ranger pour retourner à l'atelier. Giuseppe et Baldo partaient devant. Mon maître attendait la visite que le duc faisait chaque soir à la chapelle pour voir où en était le travail, et je restais avec lui.

« Tu restes avec moi, Arduino », avait-il dit le premier soir. Et Giuseppe était sorti en claquant la porte.

Ce soir-là, le duc d'Algora vint en compagnie de sa fille Bianca. C'était une toute jeune fille, presque une enfant ; elle avait des cheveux frisés, entrelacés de perles, et un regard bleu plein de tristesse.

« Cosimo est un bon maître, observa le duc. Il a réussi à former un disciple meilleur que lui dans son propre style. »

Les yeux de Donato brillaient plus fort que la pierre verte qui ornait la main du duc.

« Dites-moi, Donato. Pensez-vous terminer à temps ?

— Je crois pouvoir vous affirmer que oui, monseigneur. Comme vous le voyez, la partie la plus complexe est déjà achevée. Quant au reste, il est programmé journée par journée. »

Il conduisit le duc jusqu'à la table où s'amoncelaient les feuilles de croquis.

« Cette peinture est très belle, me dit Bianca d'une voix douce. Il doit être merveilleux de pouvoir s'exprimer avec des lignes et des couleurs. D'inventer des formes avec des ombres et des lumières. »

Je la regardai, surpris. Elle semblait comprendre beaucoup de choses.

« Vous savez apprécier la valeur de cet art, madame, répondis-je d'un ton troublé. C'est une grande chance de travailler pour vous.

— Ta chance, c'est ton destin, déclara-t-elle d'un air pensif.

— Que voulez-vous dire ? »

Elle prit place sur une banquette, et le brocart doré de sa robe crissa autour d'elle.

« Tu es un homme, toi ; tu peux choisir ce que tu aimes. Tu peux décider de ta vie et de ton destin. Voilà ta vraie chance.

— Il n'est pas facile de choisir ni de décider, madame. Il faut beaucoup lutter, beaucoup peiner pour obtenir ce que l'on désire.

— Toi, au moins, tu peux lutter. »

Sa voix était si triste que j'eus l'impression que la nuit tombait plus vite, tout à coup.

« Vous êtes une jeune fille riche, dis-je pour lui rendre courage. Il ne vous manque rien. Vous ne souffrez ni de la faim, ni du froid, ni de la peur. Votre existence est paisible. Vous n'avez même pas à travailler. »

Pendant quelques minutes, on n'entendit que le bruissement des feuilles que Donato soulevait et l'écho des chansons que les frères de Bianca chantaient dans leur chambre, de l'autre côté du patio.

« J'aurais aimé être peintre, reprit-elle. Apprendre dans un atelier avec un grand maître, comme le tien. Imaginer de nouvelles compositions, reproduire les détails les plus cachés des choses, tout ce qui ne nous apparaît pas à première vue. Essayer de peindre les sentiments.

— Peindre les sentiments ?

— Oui : la joie, la peine, l'ennui, l'amour...

— Mais...

— Mais je suis une femme, et je n'ai même pas le droit de dire ce que je souhaite. Je ne peux qu'obéir et rêver sans espoir.

— Mais...

— Nous partons, Bianca. Il se fait tard », déclara le duc.

La jeune fille se leva, me dédia un petit sourire triste et disparut dans le corridor, le bruit de ses mules à talons rythmant ses pas.

J'étais tellement absorbé par le souvenir de ma conversation avec la fille du duc, que je ne remarquai rien de particulier jusqu'au moment où je pénétrai dans l'atelier pour y déposer des feuilles usagées que je rapportais. Mais là, en me voyant entrer, Giuseppe s'esquiva vers la cuisine. Et Baldo, qui était en train de nettoyer des pinceaux, me regarda avec terreur et secoua la main comme pour m'avertir d'un danger.

« Que se passe-t-il ? demandai-je.

— Arduino ! »

La voix de Cosimo résonna dans tous les recoins de la maison.

« Oui, oui ! répondis-je, effrayé.

— *Arduino !* » répéta-t-il, et j'eus aussitôt l'impression que mes tempes se mettaient à marteler ma tête.

Je m'élançai à toutes jambes et j'arrivai devant le lit du malade à bout de souffle, sur le point d'étouffer. Cosimo était assis, à moitié nu, les yeux rouges et gonflés.

« Oui, maître...

— Maître ? hurla-t-il. Je ne suis pas ton maître

et je ne le serai jamais. Je n'ai jamais eu dans mon atelier de gamins ingrats, stupides et traîtres. Et tu es le pire de tous !

— Qu'est-ce que j'ai fait ? demandai-je, abasourdi.

— Tu as encore le toupet de le demander ? Mais bien sûr, j'oubliais ! Tu es Arduino di Emilio di Antonio Neri, le prince des punaises ! »

Mes jambes tremblaient ; je me serais effondré si les mains calleuses de Melania ne m'avaient soutenu.

« Viens, sortons, me dit-elle.

— Qu'est-ce que j'ai fait ? » répétai-je, en pleurs.

Mais personne ne voulut me répondre. J'allai m'asseoir sur la marche de la cuisine, près du feu, et je repassai dans ma mémoire tout ce que j'avais fait ou dit dans la journée sans trouver le moindre motif expliquant mon malheur.

« Baldo ! appelai-je quand je vis mon camarade se diriger sur la pointe des pieds vers le panier de pommes. Baldo !

— Chuuut...

— Baldo, dis-moi ce qui se passe. Je ne comprends rien.

— Je ne peux pas.

— Pourquoi ? »

Baldo haussa les épaules et mordit avec précaution dans sa pomme pour ne pas faire de bruit.

« Où est Donato ? »

De nouveau, Baldo haussa les épaules et sortit précipitamment de la cuisine. Melania entrait, balayant le sol de sa jupe.

« Où est Donato ? demandai-je pour la deuxième fois.

— Le maître l'a envoyé faire une course.

— Lui ? Pourquoi n'a-t-il pas envoyé Giuseppe ou Baldo ? insistai-je en pleurant.

— C'était une affaire d'argent », répondit la servante sans me regarder.

À ce moment-là, des coups de heurtoir retentirent à la porte d'entrée. Je me ruai dans le corridor, anxieux de raconter à mon maître ce qui m'arrivait. Je tirai le verrou de toutes mes forces et ouvris.

« Dona... Père ! »

Mon père m'écarta et entra, suivi de Piero qui était livide et tremblait de tous ses membres. Mon camarade disparut comme un nuage de fumée dans l'ombre du rideau.

« Entrez, maître Emilio ! cria depuis la chambre la voix fêlée de Cosimo.

— Que se passe-t-il ? demanda mon père quand il fut auprès de lui.

— J'espère que vous vous souvenez de vos propres conditions quand nous avons mis au point le contrat d'apprentissage de votre fils, dit le maître. "Si à un moment quelconque le garçon ne se comporte pas bien ou ne travaille pas assez, faites-moi appeler." C'étaient bien vos paroles, à quelques mots près ?

— Oui, répondit mon père, l'air sévère.

— Eh bien ! je les ai appliquées. Vous avez devant vous le gamin le plus traître et le plus ingrat que j'aie jamais connu. Ôtez-le de ma vue. Melania ! »

La servante entra dans la chambre, portant toutes mes affaires rassemblées dans le foulard violet. Elle les posa aux pieds de mon père.

« Qu'a fait Arduino ? demanda ce dernier.

— Qu'il vous le dise lui-même. »

Mon père me regarda. Ses yeux me transperçaient de part en part.

« Qu'as-tu fait ?

— Rien.

— Rien ? Qu'est-ce que c'est que cette histoire ? Une plaisanterie ? »

Ma frayeur était telle, mon angoisse si intense que je ne pouvais que pleurer.

« Je dois savoir ce qui s'est passé, reprit mon père d'un ton grave. Parlez, Cosimo. »

Le maître se cala contre ses oreillers. Il était très calme et savourait visiblement la scène.

« Votre intelligent rejeton, maître Emilio, déclara-t-il avec une ironie mordante, a trahi la confiance que j'avais mise en lui. Il a osé dire au duc, mon client, que j'étais malade et que le travail fourni n'était pas de ma main. Vous rendez-vous compte ? insista-t-il en élevant la voix. Il a osé parler au duc et désobéir à mes ordres ! »

Mon père me regarda, attendant une explication, mais j'étais incapable de parler. La terreur me nouait la gorge et m'étouffait.

« Arduino, cesse de pleurer, ordonna-t-il.

— Ce... n'est pas vrai », balbutiai-je.

Cosimo sortit les jambes de son lit comme s'il voulait se lever. Son visage était tout rouge et deux veines violacées gonflaient sur son front.

« Vous vous rendez compte ? Il me traite de menteur, maintenant ! Il ose me traiter de menteur ! Emmenez d'ici ce sale rat hypocrite ! Il ne mérite pas qu'on le regarde, ni que quiconque perde son temps à lui apprendre quoi que ce soit sauf balayer le fumier. C'est un fainéant, un maladroit, un querelleur, un orgueilleux...

— Partons », dit mon père.

Il ramassa mon balluchon, m'empoigna par le bras et me poussa vers la rue.

10

Le cabas

10

Le calme

Mon désespoir était si grand que je ne répondis pas au salut de notre vieux chien, et n'appréciai ni l'odeur du ragoût que préparait mon grand-père, ni la chaleur de mon lit douillet. J'avais très mal à la tête et ma gorge était si râpeuse qu'elle me semblait à vif. Je passai la nuit à pleurer, incapable de penser à autre chose qu'à ma rancœur et à ma peine. Quand je m'éveillai, à midi, je ne pus me souvenir du moment où je m'étais endormi.

La lumière de la galerie se coulait sous la porte, dessinant une ligne irrégulière que je connaissais bien. Il me semblait que cette horrible année n'avait pas existé, que rien ne s'était passé. Que ce n'était qu'un rêve de plus, un de mes nombreux rêves de peintre. Mais non ; les cals laissés par le pilon et le balai étaient bien sur mes mains, et le dégoût dans ma gorge.

Quand la porte s'ouvrit, je sursautai. Mon frère Antonio, avec son tablier de tailleur et sa pelote d'épingles, me montait un bol de lait chaud.

« Tu vas mieux ? demanda-t-il.

— Non, répondis-je presque sans voix, mais je descends. Il faut que je me montre.

— Tu n'as pas à descendre. Repose-toi.

— Mais père va se fâcher, et... »

Antonio reprit le bol et arrangea mes draps.

« Ne t'inquiète de rien. Le plus important est que tu ailles bien. »

Je voulus le remercier, mais je ne pus émettre qu'une plainte.

Autour de mon lit, les heures passaient, très lentes. Je n'avais même pas envie de bouger. Je me contentais d'écouter les bruits de la maison, ma maison, qui servaient de fond à mes pensées. Cosimo m'avait accusé d'avoir dit au duc que le projet n'était pas de lui. Mais je n'avais pas parlé au duc. Qui pouvait lui avoir dit ça ? Donato ? Non ; j'étais sûr que mon maître n'avait rien révélé. Je me souvenais aussi du commentaire du duc, ce soir-là, quand il avait vu le travail : « Cosimo est un bon maître. Il a réussi à former un disciple meilleur que lui dans son propre style. » Oui, à ce moment-là le duc savait déjà que le travail était de Donato. Mais qui le lui avait dit ? Et qui avait dit à Cosimo que j'étais le traître ? La tête me tournait. Je m'endormais le visage trempé de larmes et je me réveillais plein de questions.

La nuit tombait quand Antonio me secoua doucement.

« Arduino, réveille-toi.

— Oui, oui ! m'écriai-je, apeuré.

— Calme-toi, il ne se passe rien. Je t'ai juste apporté des brioches et un peu de miel.

— Je ne veux rien.

— Il faut que tu manges, insista mon frère. Tu es très maigre et tu as mauvaise mine.

— On m'a joué un mauvais tour, Antonio. Je n'ai rien dit. Je te le jure. Quelqu'un me hait... et maintenant... maintenant je ne pourrai plus aller dans aucun atelier ni apprendre à peindre.

— Ne te fais pas autant de souci. Si tu n'es pas coupable, tu ne souffriras pas. Les choses finiront par s'éclaircir. »

Mais je ne pouvais m'arrêter de penser.

Cette nuit-là, la tête un peu plus reposée, je passai en revue tous les détails de ma dernière journée d'apprenti. Le matin, j'avais préparé les papiers perforés que Donato calquait sur le mur avec de la poudre de charbon. Je me souvenais du sourire de mon maître, quand il m'avait dit :

« Demain, Arduino, nous ferons le fond du paysage. Tu peindras cet angle.

— Moi, maître ? »

Et tous avaient ri de mon expression, sauf Giuseppe qui s'était levé et avait quitté la chapelle sans donner d'explication. Je me rappelai la visite du duc et les yeux brillants de Donato. Ma conversation avec Bianca et mon arrivée à l'atelier. Je revis le geste de Baldo et la mine embarrassée de Giuseppe, qui avait disparu comme une ombre dans un coin de la cuisine... Giuseppe ! Oui, c'était lui qui avait tout inventé. C'était encore une histoire de jalousie, d'envie, de rancœur...

Tout correspondait parfaitement. Giuseppe avait parlé au duc avant de quitter le palais, et ensuite il avait raconté à Cosimo que je l'avais trahi. Cosimo avait envoyé Piero chercher mon père, et quand j'étais rentré avec Donato il avait confié une course à mon maître pour pouvoir se débarrasser de moi. Oui, tout était très clair, à présent ; mais j'avais beau être fixé, cela ne m'ôtait pas la douleur qui m'oppressait la poitrine, comme si une grande main me serrait dans son poing.

Les trois jours qui suivirent furent aussi longs que tristes. J'aidai sans goût aux tâches de la cuisine et de l'écurie, que j'avais appris à bien connaître, je m'assis sur la chaise basse près de la fenêtre pour coudre du cordonnet doré sur les larges manches d'un manteau de cérémonie. Le soir venu, mes frères essayaient de chasser le chagrin qui habitait mes yeux.

« Tu veux des châtaignes, Arduino ? Regarde, je viens juste de les faire griller.

— Non, merci, Antonio. Cela ne me tente pas. »

Enzo tournait autour de moi, brandissant le jeu de cartes.

« Dix parties d'écarté ! Je parie que je te gagne.

— Je n'ai pas envie de jouer. »

Le grand-père me souriait chaque fois que son regard croisait le mien et même Néro, notre vieux chien aux grandes oreilles et à l'air languide, semblait vouloir me consoler en se couchant à mes pieds. Seul mon père paraissait ne pas me voir. Pourtant, à quelques reprises, alors que je levais les yeux de mon ouvrage pour changer d'aiguillée ou poser une épingle, j'avais surpris son regard préoccupé fixé sur moi.

Un matin, après avoir balayé les chambres, je vins m'accouder à la galerie près du grand-père. Un soleil encore très timide s'efforçait de dessiner des ombres dans le patio.

« Un printemps de plus... », dit le grand-père en découvrant les premiers bourgeons sur les branches de notre petit amandier.

Mon grand-père comptait les printemps. Ceux qu'il avait vécus, ou ceux qui lui restaient à vivre ? Une douce mélancolie s'empara de mon âme. Il ne me restait plus qu'à attendre que passent les printemps, moi aussi, l'un après l'autre, emportant ma vie qui n'aurait pas plus de valeur que les fleurs blanches de notre amandier.

Des coups violents frappés à la porte principale me firent sursauter.

« Ton père attendait un client », dit mon grand-père.

Et nous restâmes accoudés à la galerie, laissant le soleil nous dévoiler peu à peu ses plans.

« Arduino, descends dans la salle ! » cria Enzo d'en bas.

Je regardai le grand-père. Je craignais d'avoir fait quelque chose de mal.

« On t'appelle, me dit-il avec un sourire

plein de tendresse. Allez, ne fais pas attendre ton père. »

La salle ruisselait de lumière. Mes frères avaient allumé toutes les lampes à huile. Le client devait être très important.

« Approche, fils. »

Au centre de la pièce, assis sur la chaise à dossier damassé que mon père gardait pour les visiteurs de marque, se trouvait le duc d'Algora avec sa cape doublée de fourrure et son bâton à pommeau d'or.

« Arduino, le duc est venu te parler.

— À moi, monseigneur ?

— Mon garçon, déclara le duc, je suis venu te chercher. À ce qu'il semble, ton jeune maître a besoin de toi pour terminer la fresque de ma chapelle et, comme tu le sais, le temps me presse. Il faut qu'elle soit achevée au début de l'été.

— Mais je...

— J'ai parlé avec ton père et nous sommes d'accord. Mets une cape ou quelque chose pour t'abriter et partons. Je ne peux pas attendre. »

Je regardai mon père. Il avait les yeux humides et sa main tremblait sur mon épaule.

« Que Dieu te garde, Arduino !

— Il faut que je prenne...

— Tu n'as besoin de rien, coupa le duc en se

levant de la chaise. Il n'est même pas nécessaire que tu fasses tes adieux à tout le monde. Tu pourras voir ta famille aussi souvent que tu le voudras. »

Sans rien comprendre, je sortis de chez moi et me retrouvai parmi les soies et les brocarts du luxueux carrosse du duc d'Algora.

De retour au palais, le duc ôta sa cape et frappa dans ses mains.

« Allez, au travail. La peinture attend.

— Mais, monseigneur, je ne comprends pas... Ne pourriez-vous me dire...

— Ton maître t'expliquera. »

Sur ce il disparut, traînant son vêtement fourré sur le sol de marbre.

J'ouvris la porte de la chapelle, et l'espace d'un instant la lumière m'aveugla.

« Arduino. »

La voix paisible de mon maître ramena de nouveau des larmes dans mes yeux.

« Allons, ne pleure pas maintenant que tout est terminé.

— Maître... »

Donato me prit par le bras et me fit asseoir sur les marches de l'autel.

« Le coupable était Giuseppe, expliqua-t-il. Il a dit au duc que Cosimo était malade, et à Cosimo que tu l'avais trahi.

— Que va-t-il se passer, à présent ? demandai-je en tremblant. Quand je retournerai à l'atelier...

— Tu n'auras pas à y retourner.

— Non ?

— Non, je te l'assure, affirma mon maître dans un éclat de rire. Tu vivras ici, au palais. »

J'avais le vertige. Ou bien tout ce chagrin m'avait rendu idiot, ou bien ils parlaient une autre langue. Je ne comprenais rien à rien. Donato me regarda, amusé.

« Quand je suis revenu de la maison du banquier où Cosimo m'avait expédié en toute hâte, expliqua-t-il lentement, j'ai trouvé Cosimo en pleine crise de nerfs, Melania poussant des cris d'orfraie, Baldo décomposé et Piero tremblant comme une feuille au milieu de la cuisine. C'est lui qui m'a raconté ce qui s'était passé.

— Pauvre Piero.

— Il était dans tous ses états. Il avait entendu Giuseppe raconter ses mensonges et ne savait plus que faire. J'ai essayé de parler au maître, mais il n'a pas voulu m'écouter. Il ne raisonne plus comme avant ; il est âgé et son caractère est aussi déformé que sa personne. »

Sa voix était devenue plus grave. Il se tut un instant, puis soupira et reprit :

« Je suis venu parler au duc et je lui ai exposé toute l'affaire. Il a compris tout de suite. Il a une grande expérience de la jalousie et des trahisons. Il m'a confirmé que c'était bien Giuseppe qui lui avait parlé de la maladie de Cosimo et m'a dit que le plus important pour lui était la chapelle, que le projet lui plaisait quel qu'en fût l'auteur. Je lui ai dit que j'avais besoin de toi pour réaliser la fresque, je lui ai parlé de ta vocation et de tes dons. Il s'est montré fort intéressé. Il veut que tu étudies et que tu te prépares de la meilleure manière possible. Tu vivras ici et tu étudieras avec ses fils. Tu auras tous les livres dont tu pourras avoir besoin et les meilleurs maîtres dans toutes les matières.

— Je veux juste apprendre à peindre, je n'ai pas besoin de tout cela ! protestai-je, affolé par tant de changements.

— On t'offre une chance qui ne se présente pas tous les jours. Tu dois l'accepter et travailler de toutes tes forces.

— Mais je veux seulement... »

Mes larmes déformaient les couleurs des vitraux et les lueurs des candélabres.

« Je veux seulement être l'apprenti d'un peintre. Ton apprenti. »

Donato me serra dans ses bras avec émotion.

« C'est impossible. Ton père ne veut pas entendre parler d'une autre expérience dans un atelier. S'il a donné son consentement pour que tu poursuives tes études, c'est uniquement en raison de la proposition du duc. Tu n'as pas d'autre solution pour pouvoir peindre. »

J'étais de nouveau soumis à la volonté des autres. Je ne pouvais pas choisir. Mon père et le duc décidaient pour moi.

« Et toi, que vas-tu faire ? demandai-je.

— Je resterai dans l'atelier de Cosimo. Il a besoin d'un compagnon solide et plein de courage pour poursuivre son œuvre.

— Et Giuseppe ?

— Je m'occuperai de tous, ne t'inquiète pas. »

De tous. De Baldo, de Piero, de Giuseppe et peut-être d'un nouvel apprenti. Ils auraient la chance d'avoir un vrai maître, eux, *mon* maître. Et moi j'étudierais au palais. Avec qui ?

« Qui sera mon maître, à moi ? » demandai-je à voix haute.

La réponse me fut renvoyée par les murs de la chapelle.

« Donato sera ton maître. »

Je me retournai, effrayé. Je n'avais pas vu entrer le duc.

« Donato sera ton maître et tu pourras travailler avec lui sans quitter le palais, reprit-il. Je veux qu'il décore de grandes fresques le plafond et les murs de la salle qui abritera ma bibliothèque. »

Il se tourna vers Donato.

« Si vous êtes d'accord, maître.

— Ce sera l'œuvre de ma vie, monseigneur. »

Le duc me regarda, souriant.

« Es-tu content ?

— Oui, monseigneur », répondis-je d'une voix tremblante.

Le duc s'apprêta à quitter la chapelle. Une fois sur le seuil de la porte, il se retourna encore.

« N'oublie pas : tu étudieras la philosophie, la rhétorique, le latin, la grammaire, la géométrie, l'astronomie...

— Mais..., protestai-je encore.

— Plus grandes seront tes connaissances, meilleur sera ton art. Tu auras davantage de choses à dire et davantage de moyens pour les exprimer, m'expliqua Donato quand le maître des lieux fut sorti. Le duc est généreux, il aime les arts et les sciences. Il fera de toi un homme très important. Un véritable artiste de notre temps. »

Ce soir-là, après le travail, je sortis me promener dans le beau jardin du palais ; j'avais besoin de respirer un peu et de mettre mes idées en ordre. Je me sentais très léger, comme si mes pieds ne touchaient pas le sol. Le sourire de mon maître avait été pour moi une récompense pleine d'espoir, quand j'avais achevé ma première expérience de peintre de fresque.

« C'est très bien, Arduino, avait-il dit en voyant l'angle de paysage que je venais de terminer. Je savais que je pouvais avoir confiance en toi. »

Les chagrins, les corvées rebutantes, les cris et les peurs devenaient tout à coup minuscules et lointains, comme un vieux rêve. Un calme merveilleux emplissait mon âme. J'avais un maître extraordinaire, la permission de mon père et la protection d'un duc. Que pouvais-je souhaiter de plus ? Peut-être qu'à côté de la philosophie, de la grammaire, de la géographie et de toutes ces matières que j'aurais à étudier, quelqu'un m'apprenne à dominer mon angoisse irraisonnée...

La lumière devenait violette et les ombres adoucissaient leurs contours. Au bout de l'allée de pierre, près de la porte, quelques hommes dressaient à l'aide de cordes et de poulies une statue ancienne qui venait d'être restaurée. Quand je passai près d'eux, le sculpteur qui les dirigeait leva son visage barbu et me regarda de ses prunelles sombres.

« Oh, jeunesse ! lança-t-il. Si l'on pouvait retrouver ta liberté ! »

Je le saluai d'une inclinaison de tête, puis me redressai et gagnai la porte d'un pas lent.

« Du calme, du calme... », me répétait mon esprit.

Pourquoi avais-je les genoux qui tremblaient ?

TABLE

Prologue 7

1. L'examen 11
2. L'atelier 25
3. Décisions 39
4. Le grenier 51
5. Donato 65
6. La commande 79
7. Le plus raisonnable 93
8. Les clés 109
9. La trahison 123
10. Le calme 139

Si vous avez aimé ce livre, vous aimerez aussi dans la collection Le Livre de Poche Jeunesse :

La case de l'oncle Tom
Harriet Beecher-Stowe
Traduit de l'américain par Louis Enault
Un véritable réquisitoire contre l'esclavage, écrit dix ans avant la guerre de Sécession. Les plus grand "best-seller" de la littérature américaine.
10 ans et +
N° 1103

José, le peintre et le bouffon
Claude Bourguignon
Dans l'Espagne de Vélasquez, un page, engagé dans le palais de l'Infante, tombe amoureux d'une jeune fille qui semble porter un terrible secret.
10 ans et +
N° 573

Les Cinq Écus de Bretagne
Évelyne Brisou-Pellen
Rennes, à la fin du XVe siècle. Guillemette doit se réfugier chez son grand-père. Or, celui-ci se comporte bizarrement : il veut absolument qu'elle change de nom...
10 ans et +
N° 453

Les portes de Vannes
Évelyne Brisou-Pellen
Guillemette, qui a grandi, apprend qu'Estienne, l'ex-apprenti des Cinq Écus de Bretagne, est en danger. Elle n'hésite pas à partir à sa recherche.
10 ans et +
N° 475

Deux graines de cacao
Évelyne Brisou-Pellen
Bretagne, 1819, Julien s'embarque sur un navire marchand à la recherche de son histoire car il vient de découvrir qu'il a été adopté. Or, le bateau dissimule un commerce d'esclaves, illégal depuis peu.
10 ans et +
N° 748

La Soie au bout des doigts
Anne-Marie Desplat-Duc
1848. Armance et Méline, huit et quatorze ans, travaillent à la fabrique de soie. Pourtant, Armance rêve de s'instruire, d'échapper à ce travail harassant qui laisse si peu de place à la liberté.
11 ans et +
N° 686

La bête du Gévaudan
José Féron Romano
1763. Dans le Gévaudan, la terreur règne : des femmes, des personnes âgées et des enfants sont mis en pièces par une bête féroce et insaisissable.
10 ans et +
N° 267

Les enfants aussi
Liliane Korb et Laurence Lefèvre
Paris, 17 juillet 1942 : la police française arrête 12 884 juifs dont 4 051 jeunes enfants. C'est la rafle du Vel'd'Hiv'. L'histoire d'une petite fille juive et de sa famille au cours des deux jours qui précèdent la rafle.
10 ans et +
N° 528
Prix des Incorruptibles 1997
Prix du Salon du Livre de Pithiviers 1999

La nuit des dragons
Sigrid et Fred Kupferman
Son foyer détruit, les siens dispersés, Antoine fuit les dragons de Louis XIV qui traquent les protestants.
10 ans et +
N° 236

Le faucon déniché
Jean-Côme Noguès
Pour garder le faucon qu'il a recueilli, Martin, fils de bûcheron, tient tête au seigneur du château. Car à cette époque, l'oiseau de chasse est un privilège interdit aux manants.
11 ans et +
N° 60

Promenade par temps de guerre
Anne-Marie Pol
Octobre 1918 : l'un des derniers bombardements de la guerre permet à Victor de s'échapper de l'hospice où il est enfermé depuis quatorze ans. Il part à la recherche de son père pourtant "porté disparu".
12 ans et +
N° 330

Le premier dessin du monde
Florence Reynaud
Au temps de la préhistoire, l'enfant qui possède le don de dessiner n'est-il pas un être magique et donc une menace pour son clan ?
10 ans et +
N° 738

« Pour l'éditeur, le principe est d'utiliser des papiers composés de fibres naturelles, renouvelables, recyclables et fabriquées à partir de bois issus de forêts qui adoptent un système d'aménagement durable. En outre, l'éditeur attend de ses fournisseurs de papier qu'ils s'inscrivent dans une démarche de certification environnementale reconnue. »

Achevé d'imprimer en Espagne par LIBERDÚPLEX
Sant Llorenç d'Hortons (08791)
32.10.2500.0/03 - ISBN : 978-2-01-322500-7
Loi n° 49-956 du 16 juillet 1949 sur les publications destinées à la jeunesse
Dépôt légal: février 2009